DU PLOMB
DANS LES TRIPES

DU MÊME AUTEUR

A compter de 2003, les San-Antonio seront numérotés par ordre chronologique d'écriture de Frédéric Dard, qui est aussi l'ordre originel des parutions.
Cette décision entraîne un changement de numérotation des S-A n° 1 à 107.
Par contre, la numérotation des S-A n° 108 à 175 reste inchangée. (Voir à la fin de ce volume le tableau de correspondance entre l'ancienne numérotation et celle indiquée ci-dessous.)

Hors série :

Œuvres complètes :

Vingt-neuf tomes parus.

Morceaux choisis :

Mes délirades

SAN-ANTONIO

r41fp

DU PLOMB
DANS LES TRIPES

Fleuve Noir

© 1953, Fleuve Noir, département d'Univers Poche.

ISBN 978-2-265-08633-3
ISSN 0768-1658

A mon ami Edouard CHARRET,
en souvenir du grand « patacaisse ».

S. A.

PREMIÈRE PARTIE

LES TORTUES

CHAPITRE PREMIER

Je demande à Gertrude :

— Connaissez-vous la recette du Führer en cocotte ?

Elle me regarde sans répondre.

— Vous ne la connaissez pas, je fais, ça se voit à votre physionomie aussi expressive qu'un dentier usagé. Bon, je vous la donne : vous prenez un Führer entrelardé ; vous le videz, le flambez et le mettez dans une cocotte avec des petits oignons et un bouquet garni ; vous laissez mijoter deux ou trois heures et vous le servez à la horde de loups enragés que vous voulez empoisonner ; l'effet est presque instantané. Le plus duraille, c'est de convaincre les loups de le briffer, on a beau être loup enragé, on a tout de même sa dignité, pas ?

Elle ne répond pas. Simplement elle allume une gitane et, lorsque le côté incandescent est bien à point, elle me l'applique sur la joue.

Du coup, je n'ai plus envie de me marrer. Une

délicate odeur de bidoche brûlée se répand à la ronde.

Je serre les dents pour ne pas pousser la beuglante qui s'impose.

Gertrude remet la cigarette entre ses lèvres délicates.

— A propos, dis-je, je connais aussi la recette de la petite espionne sur le gril…

Mais elle ne m'écoute plus. L'appel d'un klaxon retentit sur la route.

— Vous autres, Français, dit-elle, vous êtes doués pour la cuisine et… le bavardage. Adieu, San-Antonio.

Elle se fait la paire en direction de la bagnole qui l'attend. Moi je reste à mon lien. Et je vous jure sur la tête de votre voisin de palier que je changerais volontiers ma place contre celle du zig qui va se faire faire l'ablation de la vésicule biliaire. Elle n'a rien d'enviable, ma place, pour le quart d'heure !

Figurez-vous que nous sommes dans un coin de l'Isère où j'étais chargé de liquider une petite espionne nazie dont les agissements commencent à faire tartir les gnaces de l'Intelligence Service. La donzelle marne en Angleterre ; cette fille-là a le don du camouflage ! Y a pas mèche de l'identifier lorsqu'elle opère chez les Britanniques. Par miracle, ceux de l'I.S. ont appris qu'elle prenait un peu de repos dans un petit patelin proche de Lyon.

Comme je connais la région, le major Parking[1] m'a délégué pour lui cloquer un peu de plomb dans la cervelle.

Je radine dans le patelin, je repère ma souris qui, du reste, ne fait rien pour se cacher, j'entre en relation avec elle, je lui joue mon grand air à la clarinette à moustache, on va se balader, au crépuscule, dans la verte nature dauphinoise, et, juste comme je m'apprête à lui offrir sa panoplie d'ectoplasme, voilà deux mecs qui sortent d'un buisson, me sautent sur le râble pendant que je suis en train de lui refiler le patin de l'adieu, me saucissonnent, m'attachent sur le plateau d'une scie à débiter-les-arbres-dans-le-sens-de-la longueur et se trissent à leur voiture tandis que la môme Gertrude éclate de rire et m'explique qu'elle m'a identifié depuis le premier quart d'heure où j'ai amené mes cent quatre-vingts livres dans son espace vital.

Elle me dit sans ambages que des contre-espions comme bibi, elle en voit tout le long des trottoirs en regardant par terre, que je serai le souvenir de sa vie qui la fera le plus rigoler. Ensuite de quoi elle va dans le hangar où se tient le moteur de la scie et met le jus.

Nous échangeons les paroles rapportées plus haut et elle s'en va.

Je ne sais pas si vous savez comment fonctionne une scie à fendre les beaux-sapins-rois-des-forêts ? L'engin dont il est présentement

1. Lire : *Les Souris ont la peau tendre.*

question se compose d'un plateau de bois monté sur deux petits rails et qui avance insensiblement en direction d'une gigantesque lame de scie en mouvement.

D'après mes estimations personnelles, il faut quatre minutes pour que ma petite personne atteigne la scie.

C'est-à-dire que, dans huit minutes, votre ami San-A. sera coupé en deux, comme le premier ver de terre venu. Vous pourrez le voir en coupe et c'est un spectacle qui ne se présente pas tous les jours…

Cette mort-là n'est pas marrante. Vous allez me dire que la mort ne l'est jamais; tout de même, vous ne m'empêcherez pas de penser que le sort des vignerons qui claquent dans leur cuve est plus enviable que le mien.

La nuit tombe. Le lieu est désert. Je pousse une légère beuglante, non pour vérifier la solidité de mes cordes vocales, mais pour ameuter les populations compatissantes. Les gens du bled ne peuvent pas m'entendre, et, quand bien même ma voix serait aussi puissante qu'une sirène d'alerte, ils ne remueraient pas le petit doigt pour venir voir ce qui se passe. En ces temps d'occupation, ils ont le trouillomètre au-dessous de zéro. Faut dire que, de temps en temps, les Frisés foutent le feu à un fermier, histoire de créer l'ambiance. Je n'ai donc pas plus de chance de me sortir de là que de me faire élire président des Etats-Unis.

Le plateau de bois continue d'avancer inexorablement. Je sens sur le sommet de mon crâne

le léger courant d'air produit par le va-et-vient de
la lame. Je crois bien que je n'ai encore jamais
eu autant les jetons. Les types qui viennent vous
raconter qu'ils n'ont pas peur sont des tocassons ;
ils n'ont qu'à venir à mes côtés sur le plateau ; il
y a de la place. C'est pas que je tenais à ce que
ma carcasse soit empaillée, mais ça me chiffonne
d'être coupé par le milieu. D'abord c'est salissant,
et ensuite je n'aime pas faire philippine de cette
façon. Je me contracte dans mes liens, mais les
cordes dont se sont servis les copains ne sont pas
en papier... Tout ce que je parviens à faire, c'est à
me donner un avant-goût de ce qui m'attend en me
cisaillant les poignets et les chevilles.

La situation est tellement horrible que je me dis
que tout ça est un mauvais cauchemar : dans une
seconde la sonnerie de mon réveille-matin viendra
remettre les choses en place. C'est pas vivable un
truc pareil !

Hélas, je ne dors pas ; mon histoire est tout ce
qu'il y a de plus véridique. Les dents de la scie
commencent à me décoiffer. Je me ratatine afin
de retarder le plus longtemps possible l'entrée en
matière cérébrale.

Et dire que lorsque j'étais môme, j'aimais les
bûcherons !

Je me tire de côté, ce mouvement me permet de
constater que la scie est actionnée par une courroie de transmission. Ladite courroie passe juste à
gauche du plateau mobile. Si j'avais une main libre

ce serait un jeu que de la faire glisser de sa poulie. Seulement voilà, je n'ai pas de main libre.

La scie se met à brouter mon crâne, ça me fout comme une décharge électrique. Une énorme vague rouge me submerge. Je gueule tant que ça peut. Un congrès de marchands de journaux ne ferait pas davantage de raffut! De toutes mes forces je tire sur mes liens. Où ce qu'il est, le zigoto qui sait se déficeler? J'en ai vu qui se faisaient attacher serré par les badauds, place Clichy, et qui sortaient de leurs liens comme la vaseline sort de son tube lorsqu'on appuie dessus. Si j'avais pu prévoir, je leur aurais demandé de m'affranchir sur leur combine.

J'ai vu aussi, dans un film à la noix, Zorro attaché sur une voie ferrée; et le train pointait à toute pompe; le Zorro s'en tirait tout de même; ça n'avait rien de coton puisque ça se passait dans un film, mais pour moi c'est pas du même.

A force de me jeter de côté pour échapper à la scie, je suis parvenu à distendre un tant soit peu les cordes qui enserrent mon buste. Ma tranche pend, un peu en dehors du plateau, mais je ne perds rien pour attendre car, d'ici peu de temps, c'est ma nuque qui va déguster. « A découper en suivant le pointillé » comme disent les taulards du petit quartier[1].

J'attends, toujours braillant. « Anne, ma sœur Anne, ne vois-tu rien venir? » que disait mère

---

1. C'est du quartier des condamnés à mort qu'il s'agit.

Barbe bleue à sa frangine qui se balançait les châssis[1] du haut de la tour. Et elle voyait radiner un cavalier, la souris. Et le cavalier, c'était le gossier de la dame qui venait prendre ses crosses. Ce que c'est bath, les contes de fées ! Y a toujours le beau zigoto qui se la radine en temps utile. Il bigorne le gros-vilain-méchant et il cramponne la belle damoche par un aileron pour la conduire à l'autel ou à l'hôtel…

V'là cette vacherie de scie qui me rejoint. Et je te gueule de plus belle, au point que du fond de l'Australie y a des sourdingues qui se demandent ce qui se passe ! Et je te tire sur tes ficelles, petit gars, en rêvant que mes cordes deviennent aussi malléables que des fils de parmesan. La lame dentelée me mord le bas du cou. En m'étranglant je parviens à dévier un poil de plus ; de cette façon, c'est le col de ma veste qui biche et ça me donne une vingtaine de secondes de répit. Puis, subito, j'ai l'impression qu'il se produit un léger relâchement dans mes liens. Je tire, ça vient de dix centimètres. Je comprends ce qui se passe : la scie a tranché l'une des cordes. Maintenant, j'ai le haut du buste libéré. De cette façon, je vais être découpé en travers au lieu de l'être en long. Ça durera moins longtemps, mais le résultat sera le même.

Je me penche le plus possible. Avec la bouche, je parviens à choper la courroie de transmission.

1. Regardait.

Quelle secousse ! Je reçois l'équivalent d'un coup de sabre en travers du portrait. La tranche de cuir m'a fendu les commissures des lèvres. Je vais avoir le clapet ouvert jusqu'aux oreilles et je pourrai gober des œufs d'autruche avec leur coquille. Je me rends compte que tout ce qui peut m'arriver, si je réitère cette tentative, c'est de voir mes chailles faire la malle. Comme, d'un autre côté, la scie est en train de me mordre sérieusement le haut du dos, je me dis que je peux sans arrière-pensée risquer ma tête. Autant être décapité d'un coup que de se sentir débité en tranches.

J'y vais de mon plongeon. Et, brusquement, c'est le grand vertige, le grand frisson, le fin des fins. Il me semble que ma tête est séparée de mon buste et dévale les escaliers d'un building. Mon cervelet se balade dans mon crâne comme les boules de la loterie dans la sphère pendant le tirage. Ça craque dans ma nuque, la scie me rentre dans la viande ; je suffoque. Puis c'est, tout à coup, comme une espèce d'explosion. J'ai un goût de sang dans la bouche. Et « pluff », *good night*, plus rien, le néant, la nuit, le cirage... La communication est coupée !

Quand je reviens à moi, j'entends plus le zonzon du moteur. Simplement y a un rossignol qui fait ses magnes dans un buisson voisin. Il s'égosille à dire que la vie est belle et qu'il va faire voler les plumes de sa rossignolette avant longtemps.

Mes pensées se mettent à l'alignement. Je rassemble tout ce que le Bon Dieu m'a refilé comme intelligence afin d'essayer de piger où j'en suis.

Petit à petit, ça vient. Pour commencer, le moteur a dû s'emballer, puis il s'est arrêté. Ensuite, je m'aperçois que je suis couvert de sang. Si j'avais une main libre je ferais une enquête rapide pour voir ce dont je puis disposer en fait de visage. Je crois bien que je n'ai plus de tarin, que ma bouche est fendue comme celle d'une marionnette, qu'il faudra des années-lumière avant que mes lèvres soient cicatrisées et que je suis partiellement scalpé. A part ça, tout va bien. Si je parviens à intéresser à mon cas un chirurgien esthétique, il pourra acheter un baril de choucroute (c'est ce qui se réchauffe le mieux) et s'enfermer dans la salle d'opération pendant trois ou quatre semaines.

C'est moche tout de même de ressembler à un pain de saindoux. C'est pas qu'on m'ait confondu jamais avec Tyrone Power, mais j'avais la faiblesse de tenir à mon extérieur. Enfin, mieux vaut une bouille ravaudée, mais entière, qu'un coquet visage partagé par le mitan.

La nuit est belle. C'est pas le couvre-feu là-haut ! Les étoiles brillent comme dans les romans à dix ronds pour jeune vierge refoulée. Je ne puis pas bouger de mon plateau de bois. Ma seule distraction c'est de bigler la voie lactée. Seulement une fois que j'ai repéré l'Etoile polaire, le Chariot et la Grande Ourse, je commence à trouver le passe-temps un peu casse-bonbons. Je suis pas du genre bucolique. Moi, j'aime assez parler poésie, mais à condition d'être en compagnie d'une belle môme et qu'il n'y ait pas incompatibilité d'humeur entre ma main et son corsage, vous voyez ce que je veux dire ?

Si vous ne voyez pas, c'est que vous êtes le plus bath ramassis de locdus qui se soient jamais propagés sur cette planète.

J'attends. Le rossignol continue à se prendre pour Caruso. Un petit vent de nuit fait bruire les feuillages (j'ai lu cette phrase dans un roman de Paul Bourget) et les étoiles sont à cent watts. Tout ce qu'il faut pour donner de l'urticaire à un type aussi remuant que moi.

Probable que lorsqu'on me retrouvera je serai couvert de petits champignons verts.

Soudain, il me semble entendre un craquement de brindilles cassées. C'est peut-être un gibier quelconque ?

Je prête l'oreille. Le bruit recommence. Un type débouche du bois proche. En tournant la tête, je l'aperçois sous la lune. Il est grand, vêtu en péquenot et il porte un sac sur ses épaules.

Je fais :

— Hep !

Le mec sursaute comme si on lui prenait sa température avec un tisonnier chauffé à blanc.

Il s'apprête à rebrousser chemin.

— Bon Dieu, vous barrez pas, collègue! je supplie!

Il hésite.

— Je suis sur la scie, ajouté-je. Des salauds m'ont ligoté là-dessus après m'avoir volé…

Je préfère ne pas parler des Allemands pour l'instant, des fois que le mec serait un sympathisant?

Il s'approche, d'une démarche hésitante. Il est maigre, rouquin, avec des yeux enfoncés et le nez en bec d'aigle.

— Détachez-moi, fais-je. Je n'en peux plus. Ah! les vaches! Qu'est-ce qu'ils m'ont mis dans le portrait!

Il pose son sac. Le sac se met à remuer, par terre. Le gars reviendrait de lever des collets à lapins que je n'en serais pas autrement surpris. Il sort un couteau de sa poche et tranche mes liens. Après quoi il referme son ya et me reluque d'un air niais.

Je me lève. C'est bath de retrouver la verticale. Je fais quelques mouvements d'assouplissement et je m'aperçois tout de suite que ça boume. Je me serais cru plus sonné que je ne le suis en réalité.

— Merci d'être venu, dis-je au terreux, c'est une sacrée idée que vous avez eue, vieux, d'aller à la chasse cette nuit.

Il ne bronche pas; ce zig, je vous jure, c'est l'incompréhension personnifiée…

Le voilà qui se baisse, prend son sac et fait la

malouze en direction de la route. Je lui trotte au panier.

— Eh! Dites, Toto, vous ne connaissez pas par hasard, un petit bled, pas trop loin d'ici, où je pourrais trouver à me loger?

Il me répond rien. Il est sourd-muet, probable. Y en a des flopées dans les cambrousses : ça vient de l'hérédité, m'a affirmé un toubib de mes aminches. Les péquenots lichetrognent tellement dans ce coin de France que leurs pilons ont du picrate dans les veines en venant au monde.

Il est là, tout indécis, avec pourtant l'envie de mettre le grand développement. Mon regard tombe sur sa main gauche. Quelque chose y brille à la clarté de la lune, c'est une superbe chevalière en or. Moi ça me fait salement tiquer, je vous le dis, because les bouseux n'ont pas l'habitude de porter des bijoux.

Décidément, l'homme au sac est bizarre. Et figurez-vous que la bizarrerie m'attire comme un soutien-gorge bien garni attire la main de l'honnête homme.

Je renouche mon pote. Il baisse la tête. Sa tête d'oiseau de proie mélancolique.

Et voilà que subito j'entrave la raison pour laquelle il ne me parle pas. Il n'est pas sourd-muet, il est étranger et il ne gazouille pas un mot de français. Comme il ne tient pas à ce que cela se sache, il adopte le parti le plus sage : celui de se visser la langue au palais.

— T'es allemand? je lui fais.

Il ne répond pas.

— *Deutsch?*

Silence.

— C'est pas pour te vexer, murmuré-je, mais t'as moins de conversation qu'un sac de plâtre ! J'ajoute à tout hasard :

— *English?*

Là, il a un très léger frémissement que mon œil de lynx a enregistré.

— *I speak*, dis-je effrontément. *And you*, Toto, *do you speak english?*

Il hausse doucement les épaules.

— *You are english?* j'insiste.

Il me fait non, de la tête. C'est le premier résultat enregistré.

Bon, il est pas english. Il est pourtant quelque chose, ce foie de veau ! Il est pas allemand non plus. Il est ni nègre ni chinois, je peux m'en rendre compte. Si je veux procéder par élimination je vais en avoir pour un moment.

Soudain j'ai l'inspiration. Il est polonais ! J'ai eu des copains polaks et chez tous j'ai remarqué ces petits plis verticaux près des lèvres.

— *Polska? You are polak*, Toto !

Je ne sais pas comme on bonnit le mot Pologne en polonais, mais le gars a compris. Il fait un petit geste qui, si l'on n'est pas trop exigeant, peut parfaitement passer pour une affirmation.

Il continue sa marche sur la route déserte. La nuit sent le foin coupé. On devine que la nature s'en tamponne qu'il y ait la guerre ou non.

Mon Polonais est discret comme une betterave. Ce mec-là, quand on veut lui arracher un mot, faut cavaler chercher les forceps.

Je le suis, c'est le cas de le dire, car je marche à un pas de lui. Il arpente la campagne à vive allure. Je voudrais le voir un peu dans Paris-Strasbourg.

Je le suis sans savoir pourquoi, sans savoir où on va, sans savoir si ça lui plaît ou non, sans même savoir si ça me plaît à moi.

Je le suis machinalement, comme un chien perdu suit un passant, comme San-Antonio suit le mystère.

C'est un réflexe.

*
* *

On parcourt ainsi un petit kilomètre, sans se raconter plus de choses qu'une paire de jarretelles. La route – c'est plutôt un chemin vicinal – est bordée de hautes haies touffues. Y a toujours ces glands de grillons qui la ramènent, et d'autres rossignols qui baratinent leur bonne femme. Le chemin décrit un virage. Parvenus au milieu de la courbe, nous apercevons une bagnole noire stoppée au ras du fossé. Le Polak s'arrête et se met à humer le vent comme un clébard qui passe devant le soupirail d'un restaurant.

Il semble méfiant, inquiet.

— Ben quoi, je lui fais, t'as les jetons, Pilsud-ski ?

Mon pote ne semble pas se décider à poursuivre

sa route. J'ai même l'impression qu'il va faire demi-tour.

Et il a salement raison de faire marche arrière, le rouquin !

Deux mecs sortent de derrière une haie et s'avancent vers nous. Ils tiennent une mitraillette à la main en guise de bouquet de bienvenue.

Du coup, le Polski se trisse à bride abattue. Ma vaste intelligence me conseille de l'imiter et nous voici dans les champs, à galoper comme des perdus.

Les zouaves à l'artillerie se lancent à nos trousses. Et je vous jure qu'ils ne laissent pas leur gâche pour ce qui est de filer le train à une paire de branques comme le Polak et mégnace. Dans quelle pommade me suis-je encore enlisé, grand Dieu ! N'importe qui, après avoir échappé aux dents féroces de la scie, aurait couru se foutre au sec : mais non ! San-Antonio, vous comprenez, c'est le mec qui perd jamais une occase de mettre ses pinceaux dans la mouscaille.

Ç'aurait été trop simple de dire au Polak : « Merci-et-au-revoir-mon-bon-monsieur. » Il me fallait du point d'interrogation en veux-tu en voilà ! Le mystère c'est ma nourriture favorite, comme le chardon pour les ânes. Y a des fois où je me demande pourquoi j'aime pas les chardons !

Heureusement, les prés ont été récemment coupés et c'est un vrai plaisir que de galoper dans la cambrousse. Ou plutôt c'en serait un si dans cette course, je ne tenais pas le rôle du lapin.

Comprenant qu'ils ne nous rattraperont pas, nos poursuivants se mettent à tirer. Ça, c'est la moche histoire ! C'est le moment où les âmes sensibles changent de calcif !

La mitraillette, c'est exactement la catégorie de pétoire qui convient à ce genre d'exercice. Ça manque de précision mais ça fait du dégât à découvert.

Du coup, les salves nous donnent une vigueur nouvelle, au Polak et à moi. La souris de l'abbé Jouvence, c'est du sirop d'orgeat à côté de ça, pour la circulation.

Où qu'il est, Ladoumègue, qu'on l'humilie un peu !

Les coudes au corps, et je te connais bien !

Le Polonais n'a toujours pas lâché son sac. Doit avoir envie de bouffer, pour pas les abandonner, ses garennes ! Il a peut-être une gerce tubarde et douze lardons décalcifiés et il tient à leur apporter une becquetante reconstituante !

Tout à coup, il pousse un grand cri. Un de ces cris qui veulent tout dire.

Il part en avant, zigzague légèrement et tombe.

Il a dégusté une série de balles et il a son compte, le frangin.

Inutile de lui porter secours. Ce serait se faire buter pour balpeau. Dans la vie, il y a des moments où c'est chacun pour soi et Dieu pour tous.

Comme je fonce de plus belle, il se redresse.

J'arrive à sa hauteur, car il me précédait de quelques mètres.

Il me crie quelque chose en polonais, tout en me tendant son sac.

Machinalement je rafle l'engin et je me le catapulte sur le dos. Puis je galope de plus belle. Les balles voltigent autour de moi comme les abeilles autour d'une ruche.

Si mon ange gardien n'est pas à la hauteur, je vais être déguisé en moulin à légumes avant qu'il soit longtemps. Fort heureusement, le terrain est très accidenté. Il y a un tas de creux, de mamelons, qui font de moi une cible extrêmement mouvante.

Le bois dont j'ai fait instinctivement mon objectif est très proche. En dix bonds je l'ai atteint. Et maintenant je les ai quelque part, les fumelards, eux et leurs seringues.

Ça n'est pas la première fois que des gens armés me courent après dans un bois. Je suis une espèce de technicien de la chose, faut voir ! Personne ne peut me faire la pige lorsqu'il s'agit de faire du forcing à travers les arbres. Comment je leur sème du poivre aux aminches !

Bientôt je m'arrête pour prêter l'oreille. Pas un bruit, du moins insolite. Juste une chouette qui rouscaille quelque part et des crapauds dans l'herbe humide, qui poussent leurs petits cris bulbeux.

Mes poursuivants ont dû abandonner la chasse. Peut-être qu'ils ont eu les flubes. C'est dangereux de chercher un gnace à minuit dans les bois. Si le pèlerin en question n'est pas la moitié d'une portion de brie, il peut se planquer derrière un fourré et vous assaisonner dans le dos.

A moins d'avoir un clébard pas trop empêché du renifleur à sa disposition, il ne faut jamais espérer, à deux, arrêter un mec en pleine nuit, dans les forêts.

Ils savaient ça, les tordus, et ils ont compris…

Par mesure de sécurité, pourtant, j'allume les cierges[1] pendant un bon moment ; puis, rien ne se produisant, je cherche à m'orienter. L'orientation aussi ça me connaît. J'ai pas besoin de reluquer de quel côté pousse la mousse au pied des arbres. Avec une infinie prudence je me mets en route. Le sac du pauvre Polak me bat toujours les fesses. Il ne contient pas de lapins, c'est trop dur. Après tout, je pourrais bigler un peu l'intérieur…

Je m'avance dans une éclaircie des arbres et je dénoue la ficelle fermant la grosse poche de toile. Grâce au clair de lune on y voit comme en plein jour. Je pousse une exclamation de surprise. Le sac contient quatre tortues de dimensions moyennes.

1. Faire le guet.

CHAPITRE II

Je trouverais de la bonté dans le regard d'un huissier que je ne serais pas plus abasourdi.

Faut dire qu'il y a de quoi s'attraper la tirelire à deux mains ! Ça n'est pas tous les jours qu'on rencontre en pleine nuit d'occupation un Polonais ne sachant pas parler français sur un chemin écarté. Mais lorsque ce Polak-là est attendu au détour d'un chemin par deux types armés de mitraillettes qui l'abattent comme une pipe en terre ; lorsque, avant de mourir, il vous confie le sac qu'il trimbale comme si ce sac contenait sa progéniture, et surtout, lorsqu'on découvre que ledit sac donne asile à quatre braves petites tortues, alors là, les potes, on commence à se demander de quelle couleur était le cheval blanc d'Henri IV.

Si elles étaient en or, ces tortues, je comprendrais qu'il ait risqué sa peau pour elles, le copain ; mais non, ce sont des tortues ordinaires comme on en achète aux petits enfants sages…

Je les laisse dans le sac et je charge ce dernier sur mes épaules.

*
* *

A force de marcher, je parviens à une agglomération importante. Sur une plaque bleue je lis « Bourgoin ». Je me rappelle que ce bled est à une quarantaine de kilomètres de Lyon.

Les rues sont désertes comme la salle d'un cinéma éducateur. Pas une lumière, pas un bruit. Simplement le glouglou prostatique d'une fontaine sur une place.

Je me dis que si jamais une patrouille vient à passer ça va être chouïa. J'ai bonne mine avec ma tranche en marmelade et mon sac de tortues... Ah je vous jure ! Un impresario de music-hall qui m'apercevrait me collerait au prose jusqu'à ce que je lui aie signé un contrat d'exclusivité.

Je rase les murs comme un novice du fric-frac, sans savoir où aller. J'ai sûrement eu tort de radiner dans ce patelin, j'aurais dû rester en plein bled et ronfler contre une meule de foin. Seulement, pas vrai, on obéit plus souvent à des réflexes qu'à sa jugeote.

Ma trogne commence à me faire sérieusement souffrir. Je la sens enfler et le sang ne s'arrête pas de pisser comme d'un robinet ouvert. Pourtant je ne suis pas hémophile et mon raisiné est tout à fait recommandé pour les transfusions délicates. M'est avis que si je ne me fais pas désinfecter le portrait, je vais choper une de ces infections maison qui compte dans la vie d'un contre-espion.

Je ne peux aller dans un hosto, ça doit être bourré de Chleus. Ils ont le chic pour attraper tous les gonos en vadrouille dans un bled, les Frisés. Et puis un hosto c'est quelque chose d'administratif où on vous pose un tas de questions toutes plus indiscrètes les unes que les autres…

J'en suis à me palper le cervelet pour essayer d'accoucher d'une idée valable lorsque je tombe en arrêt devant une porte sur laquelle brille une plaque de cuivre qui a dû échapper aux services de récupération : « Docteur Martin, ex-interne des hôpitaux de Lyon ».

Je voudrais bien me faire soigner, seulement je peux fort bien tomber sur un toubib collabo, un de ces zigs qui ont les châssis en forme de croix gammée…

C'est ça qui serait tartouze ! Qu'est-ce que je lui raconterais au cloqueur de purge, s'il se mettait à être indiscret ? Le secret professionnel, c'est un truc qu'on ne respecte plus que dans la *Veillée des chaumières*, maintenant…

Non, décidément, c'est trop risqué. Comme je m'apprête à poursuivre ma route, un bruit de bottes retentit dans le silence. Ces bruits-là sont plus éloquents que des discours électoraux.

Lorsqu'on les entend, le mieux qu'on ait à faire est de se garantir contre les éclaboussures.

Je presse le bouton de cuivre fiché à côté de la

plaque. Plusieurs minutes passent. Le bruit des bottes se rapproche.

Est-ce que le toubib va se décider à ouvrir sa putain de porte ? Si jamais les zigotos de la patrouille me demandent des explications, je vais être salement empoisonné. Je ne peux pourtant pas me faire passer pour le père Noël. Non seulement je n'ai pas un poil de barbouze, mais aussi les pères Noël n'ont pas pour habitude de se baguenauder au printemps, la tronche tout ensanglantée, avec un sac de tortues sur le dos.

Une lumière éclate enfin dans la façade de la maison. Un bruit de pas, la porte s'ouvre.

Je me trouve nez à nez avec un type pas plus haut que le nombril d'un honnête homme. Il a une soixantaine d'années, un bouc gris et des yeux vagues.

— Qu'est-ce que c'est ? demande-t-il.

— Je voudrais voir le docteur.

— C'est moi.

— Je suis blessé…

Il s'écarte pour me laisser passer.

— Entrez !

Je ne me le fais pas dire deux fois. J'ai comme une vague idée qu'il était temps que je gare mes abattis, car la patrouille allemande débouche précisément à l'angle de la rue.

— Excusez-moi, docteur, je fais, je ne vous explique pas de quoi il retourne, ça se voit, hein ?

Sans un mot il se dirige vers une porte, à droite,

la pousse, donne la lumière et s'efface pour me laisser entrer.

C'est son cabinet. Une pièce vieillotte qui renifle l'éther et le bois moisi.

— Asseyez-vous ! ordonne le petit toubib.

Je dépose mes tortues et je prends place sur un tabouret métallique.

Le voilà qui passe une blouse blanche par-dessus son pyjama et qui se met à examiner ma blessure en faisant la grimace.

— Vous vous êtes engueulé avec des Indiens ? murmure-t-il. C'est la première fois que je vois un type à moitié scalpé.

— C'est un accident, expliqué-je. Je suis tombé, tête première dans une courroie de transmission…

Son visage est plus neutre que la Suisse. Il désinfecte mes plaies, me pose deux ou trois agrafes et me fait un pansement tout ce qu'il y a de tsoin-tsoin.

— Je vous dois combien, docteur ?

— Cent francs, fait-il.

Je glisse la main à l'endroit où j'ai l'habitude de remiser mon larfouillet et je sens une partie intime de mon individu se ratatiner. Il n'y est plus. Les copains de la môme Gertrude me l'ont secoué. Je me sens moite. Qu'est-ce que je vais pouvoir inventer pour lui montrer la couleur[1], au vieux toubib ?

1. Mentir.

— Je… j'ai… c'est ridicule, docteur, je balbutie, mais j'ai oublié de prendre mon portefeuille. Dans ces cas-là, vous comprenez ?

— Aucune importance, fait-il négligemment.

— Je viendrai vous régler ça demain.

— Je ne suis pas épicier, dit-il en m'accompagnant jusqu'à la porte.

Il me serre la pogne et je me mets en route.

Je ne sais toujours pas où aller. Je danse, d'un pied sur l'autre, humant l'air frais de la nuit. Une voix me hèle :

— Hep !

Je me retourne, c'est le petit docteur.

— Vous avez un *Ausweis* ? questionne-t-il.

— Non.

— Si vous rencontrez une patrouille…

— Je sais…

Il tire sur son petit bouc.

— Venez, fait-il.

Pour la seconde fois, je franchis son seuil.

— Les temps sont malsains, vous n'êtes pas de Bourgoin ?

— En effet.

— En effet les temps sont malsains ou en effet vous êtes pas de Bourgoin ? demande-t-il.

Ses yeux vagues s'animent, il paraît intéressé.

— Les deux, doc, les deux.

— Vous travaillez de nuit ?

— Comment ça ?

— Dame, puisque vous avez eu un accident du travail en pleine nuit…

Il me désigne mon sac.

— Que charriez-vous là-dedans ? Vous allez me trouver bien curieux, alors, en ce cas, ne répondez pas.

Je secoue mon sac.

Si je lui dis qu'il contient des tortues, il me prendra pour un cinglé. Il n'y a qu'un type cinglé en effet pour se promener avec un tel chargement dans de semblables conditions.

— Oh, quelques vieilles paires de chaussures que j'amenais en ville pour les faire ressemeler en bois.

— Et elles pissent, vos chaussures ?

— Pardon ?

— Je vous demande si vos chaussures urinent, elles ont pissé dans mon cabinet.

Je regarde le toubib.

— Allez-y, déballez le fond de votre pensée…

— On serait peut-être mieux dans mon salon, avec un verre de quelque chose à la main, non ?

— On serait bigrement mieux, conviens-je.

Il tire d'un placard une bouteille culottée dans laquelle on a mis à macérer des plantes.

— C'est un truc contre les refroidissements ? m'informé-je.

— Si on veut, dit-il. C'est de la verveine dans du marc.

— J'en suis.

Il remplit deux verres, m'en tend un. Avant que j'aie eu le temps de porter le mien à mes lèvres il a fait cul sec avec le sien.

— Compliment, dis-je. C'est à la faculté qu'on vous apprend ces petits tours de société ?

Il sourit.

— Mettons que ce soit un don. Je suis un vieil ivrogne, vous savez. Tout le monde, ici, est au courant. Je suis le dernier toubib à qui on fait appel en pleine nuit, car on sait que je suis schlass. Ma clientèle vient entre huit heures et midi, après il est trop tard. Si je n'étais pas bon médecin, il y a belle lurette que je n'aurais plus personne.

— Chagrin d'amour, comme dans les romans, doc ?

— Juste comme dans les romans, oui.

Il me plaît, ce petit vieux. De le savoir poivrot, ça me met en confiance ; en général les soûlots sont des braves types.

— Vous buvez pour oublier ?

Il se sert un second verre auquel il fait faire le même voyage qu'au premier.

— Mais non, je bois pour me souvenir. Personne ne boit pour oublier. Ce qu'on demande à l'alcool, c'est de vous faire souvenir ; mais de vous faire souvenir gentiment, en technicolor, quoi, vous voyez ce que je veux dire ?

— Je vois très bien. Alors, pour en revenir à ma question ?

Il s'assied.

— Ah oui... pour en revenir à vous et vos chaussures qui font pipi... Pas malin, vous savez. Voulez-vous que nous jouions aux devinettes ?

— Allez-y.

— Vous n'êtes pas de la région. Si mon oreille est fidèle, vous êtes de Bercy ou des environs. Si ma connaissance des visages l'est aussi, vous êtes un homme d'action. Si mes yeux ne m'abusent pas, ce sont des balles qui ont fait ces trous aux pans de votre veste. Si mon sens de la psychologie n'est pas trop déficient, vous ne tenez pas du tout à rencontrer des vert-de-gris et, de plus, vous ne savez pas où aller. Ça vaut combien sur dix, tout ça?

— Pas loin de dix, fais-je en riant.

Je n'hésite plus. Le vieux petit barbichu est un type de première; moi aussi, j'en connais un brin sur la question des bonshommes.

— Ouvrez grandes vos manettes, doc, je vais vous rencarder. Car je pense qu'on peut avoir confiance en vous!

Et je lui déballe toute l'histoire, depuis A jusqu'à Z en passant par la Lorraine. Je ne lui cache rien, ni mon identité, ni les raisons qui m'ont amené ici, ni mes démêlés avec les Gertrude's gougnafiers, ni ma rencontre avec le pauvre Polak.

Il m'écoute, calmement, en essayant d'arracher sa barbichette. Mais la barbichette tient bon et elle n'a pas perdu un seul poil lorsque j'ai terminé mon exposé.

— Voilà qui vaut tous les fades romans d'aventures, assure le docteur. Montrez un peu ces tortues…

J'ouvre le sac et le retourne. Les braves bestioles tombent lourdement sur le tapis, où elles se mettent à remuer avec des mines pataudes.

Le médecin en cramponne une et l'approche de l'abat-jour.

— Ce sont des tortues normales, non ? dis-je en m'approchant.

— Tout ce qu'il y a de plus normales, admet-il.

— Alors pourquoi les auscultez-vous ? Elles ont de la température ?

— Une idée, comme ça…

Il me regarde, son œil rit.

— Les animaux évoquent toujours des êtres humains pour moi. Une habitude que je tiens de ma jeunesse… Par exemple l'éléphant me fait penser à un gros type dont le pantalon pend. Le hérisson à un clochard hirsute. La tortue… Eh bien, la tortue, mon cher commissaire, me fait songer à un homme-sandwich avec ses deux panneaux qui l'emboîtent…

Je sursaute.

— Bon Dieu, je saisis… Vous croyez que…

— Nous allons voir.

Il s'éclipse un court moment et revient, armé d'une forte loupe.

Il commence à examiner le dos de notre pensionnaire.

— Rien, fait-il. Tout est régulier…

Il la retourne. La pauvre bête se met à remuer désespérément ses pattes grotesques en tirant son cou vipérin.

— Montre ton bide, Nelly ! ordonne le docteur.

Elle ne peut pas faire le contraire vu qu'une

tortue à la renverse est aussi privée de moyens qu'un centenaire impotent.

Il la regarde attentivement.

— Regardez, me dit-il soudain.

Il me passe la loupe. J'examine la carapace de dessous.

Celle-ci, comme toutes les carapaces de tortues, est striée de fines rainures qui dessinent des motifs assez réguliers. Grosso modo, on peut considérer l'ensemble de ces motifs comme un quadrillage. Or, à l'intérieur de chaque case, se trouve un autre petit motif qui paraît naturel à première vue et qui se confond avec l'ensemble; mais il s'agit de signes exécutés au moyen d'un poinçon dans la corne. Et chacun de ces signes a la forme d'une lettre de l'alphabet polonais.

— Beau travail, dit le docteur avec un petit sifflement admiratif. Et quelle idée magnifique! Qui soupçonnerait ces innocentes tortues de véhiculer des messages...

— Vous avez un crayon et une feuille de papier, doc?

Il va à son bureau et en ramène un bloc et un stylo. Je me mets à reproduire les lettres gravées dans la carapace des tortues. Lorsque ce travail est terminé, j'ai deux feuillets couverts de signes auxquels je suis incapable de donner la moindre signification.

— Vous comprenez le polak, toubib?

— Non, fait-il, mais la bonne de mes voisins est

polonaise, demain je pourrai lui faire déchiffrer ce message. Enfin, j'espère qu'elle sait lire.

— Ce n'est pas un peu risqué? je demande. Ça doit être bigrement confidentiel pour qu'on ait choisi un système de correspondance aussi bizarre.

— Ne vous tracassez pas, sourit le médecin, Frania est aussi intelligente que cette bouteille de marc. Ma seule crainte, je vous dis, est qu'elle ne sache pas lire…

Il se lève.

— Vous avez grandement besoin de repos, commissaire. Je vais vous faire une petite piqûre calmante et vous irez dormir dans la chambre d'amis. Je continue à l'appeler ainsi, bien que je n'aie plus d'amis depuis belle lurette…

Il saisit les tortues et les emmène à la cuisine.

— Elles ont bien mérité une feuille de salade, dit-il.

Il fait un soleil à tout casser lorsque j'ouvre mes châsses. La lumière est tellement vive que je me démerde de baisser mes stores. Mais tout de même le soleil est un machin drôlement fameux lorsqu'on a failli laisser ses os dans un tas de sciure. Je rouvre mes paupières. Il me faut plusieurs secondes avant de réaliser où je me trouve. Puis la mémoire me revient. Les tortues-sandwich, le brave poivrot de toubib… Qu'est-ce qu'il maquille, le vieux barbichu ?

Je me mets sur mon séant. Le lit est moelleux comme les fesses d'une couturière et il a une façon muette de vous dire « T'en va pas, petit gars »… Mais un pucier n'est pas compatible avec le beau soleil qui passe à travers les rideaux.

Je me lève et, tout chancelant, je m'introduis dans mon bénard. Ce que le dôme peut me faire mal ! Ça carillonne là-dessous comme l'église du patelin le jour des premières communions.

J'ai eu du vase de sonner à cette porte. Vous pourrez constater que j'ai le nez creux et que la fée qui s'est occupée de ma ligne de chance ne s'appelait pas Carabosse.

J'achève de lacer mes tartines lorsque le petit docteur radine.

— Alors, paresseux ! fait-il joyeusement.

— Salut, toubib. Au fait, c'est comment, votre blaze, déjà ?

— Mon quoi ?

— Votre nom !

— Martin, fait-il, comme tout le monde.

— C'est facile à retenir et justement je veux retenir votre nom pour apprendre à mes petits-enfants à le bénir. Sur ce, quelle heure est-il ?

— Midi…

— Quoi ?

— Midi…

Comme pour lui donner raison, une horloge de ville y va de ses douze coups.

— C'est honteux de pioncer pareillement, dis-je.

— Pas lorsqu'on a le crâne ravagé. Ça va mieux ?

Je fais la grimace.

— Lali-lala… J'ai l'impression qu'on m'a fait un shampooing à la paille de fer.

Il se marre.

— Descendez, je vais vous changer votre pansement, ensuite de quoi nous nous mettrons à table.

Le programme me botte.

Aussi ivrogne qu'il soit, il est aux pommes, le docteur Martin. Quel doigté. Il me proposerait de m'astiquer le cervelet que je me laisserais faire, parole d'homme ! Et il sait s'organiser. A partir d'onze heures et demie, il a terminé son cabinet et il fait la popote. Tout par lui-même, c'est sa devise.

— J'avais une servante, dit-il, mais étant donné ma situation de vieux célibataire, j'étais obligé de la prendre âgée ; ça faisait un peu curé ; de plus elle m'engueulait. Je l'appelais l'inintelligence-service… Je m'apprêtais à l'empoisonner à l'arsenic lorsqu'elle m'a quitté ; je ne l'ai pas remplacée…

On passe à table. Y a un rôti de porc gros comme ma cuisse avec de la purée de marrons.

— Mince, je m'exclame, c'est pas les restrictions chez vous !

— La plupart de mes clients sont des ruraux des environs, ils me paient en marchandises ; ça leur fait plaisir et j'y gagne. Que pensez-vous de ce petit vin de pays ?

— Gentillet…

Il me regarde manger de bon appétit.

— C'est beau, la jeunesse, soupire-t-il.

Je me communique un bon kilo de barbaque dans le porte-pipe. Je lichetrogne un litre de rouquin, après quoi je m'essuie les lèvres.

— Et votre bonniche polak, on peut la voir ?

— C'est fait, sourit-il.

— Sans blague ?

— Je lui ai fait signe, ce matin, tandis qu'elle sortait les boîtes à ordures. Dieu soit loué, elle sait lire.

Il tire une feuille de papier de sa poche.

— Voici la traduction du message, commissaire.

Je saisis le précieux papelard et je lis :

Sur voie de garage Bourgoin jeudi entre 14 et 16 heures.

— Ça n'a pas été commode à reconstituer, dit Martin, car nous n'avions pas transcrit le texte des tortues dans l'ordre, c'est-à-dire que vous n'avez pas pris les tortues dans l'ordre convenable. Mais j'ai pu, en assemblant les mots, mettre le texte au point. Qu'en pensez-vous ?

— Pas grand-chose. Nous sommes quel jour ?

— Jeudi.

— Et nous sommes quelle heure ?

— Treize heures quarante, pour employer le style chef de gare… lequel est de circonstance…

Je froisse le papier et vais le jeter dans la cuisinière.

— Donc, dans vingt minutes, il y aura sur la voie de garage de la station de Bourgoin un train, vraisemblablement, qui offre pour certaines gens un intérêt particulier.

— Il me semble.

— Elle est loin d'ici, la gare ?

— A deux cents mètres…

— Je crois que je vais y faire un tour…

— Ça n'est guère prudent, objecte le petit toubib. Avec votre tête empaquetée, vous allez attirer l'attention…

— La prudence et moi, vous savez…

Je me lève et torche mon verre de gnole.

— Voyez-vous, doc, j'ai été envoyé dans la région pour accomplir une mission précise. J'ai lamentablement échoué. Demain soir, un avion doit me prendre quelque part et m'emmener à Londres. Je ne serais pas fier de revenir bredouille. Alors, si j'ai l'occasion de mettre le nez dans une affaire intéressante, vous pensez bien que je ne vais pas m'en priver… Merci pour tout, doc, vous êtes un chic type.

Je lui serre la paluche.

— Si un jour, après la guerre, je me marie, si j'ai des lardons et que ceux-ci attrapent la coqueluche, c'est vous que j'enverrai chercher !

Je boutonne ma veste et quitte la maison du père Martin.

*
**

Il n'y a pas grand monde à la gare. Quelques nabus des environs qui viennent du marché, dont c'est le jour à Bourgoin, et qui vont se taper le prochain dur pour une ou deux stations.

Le mec du guichet aux bifs bouquine un journal du cru pas plus grand qu'une formule de mandat-carte. Un employé à l'air pas bileux colle sur un garde-boue de vélo une fiche d'enregistrement. Tout est tranquille et somnolent.

Je prends un ticket de quai et je sors. La chaleur danse au-dessus de la voie. Sur les bancs peints en vert, quelques soldats allemands roupillent. Un officier se promène sur le quai, les mains au dos. Des sonneries grelottent autour de moi. Jamais je n'ai autant ressenti la douceur de vivre. J'ai de la peine à m'imaginer que ça se bigorne dans tous les coins du monde et qu'il se passe toujours et partout quelque chose.

Je jette un coup d'œil à la pendule. Elle marque moins deux. A gauche, venant de la direction de Grenoble, un train survient. Il grossit, gronde, et ralentit. Je m'aperçois que ça n'est pas un train de voyageurs, mais un train de marchandises. En général ces sortes de convois sont interminables. Celui-ci, au contraire, ne comporte que deux wagons fermés. Chaque wagon est un wagon de queue, c'est-à-dire qu'il est muni d'une espèce de guérite surélevée pour le chef de train. Au lieu de chef de train il y a deux soldats en armes dans chaque guérite.

L'officier allemand vient de gueuler un ordre. Il a la voix d'un lion enrhumé qui parlerait dans un conduit d'égout. Ses hommes qui somnolaient sur les bancs se dressent comme des pantins articulés. Ils sautent sur leur mitraillette et s'alignent en bordure de la voie. Ils sont une douzaine environ.

Le train stoppe, puis recule légèrement. L'aiguillage cliquette et, lentement, le convoi s'engage sur une voie de garage. Lorsqu'il y est rangé, des hommes d'équipe détellent la locomotive et les deux wagons restent en plan, cernés par les soldats allemands.

Je donnerais la Légion d'honneur qu'on va me cloquer un jour ou l'autre à titre posthume pour connaître le contenu de ces fameux wagons.

Je voudrais bien m'en approcher, mais c'est assez coton…

Je remarque que les waters se trouvent à proximité. Nonchalamment, je m'y rends, la main à la braguette, pour bien signifier l'innocence de mes intentions. Une fois dans les urinoirs, j'arnouche vachement par-dessus le mur. Le toit des gogues fait une avancée et mon manège ne risque pas d'attirer l'attention. Je remarque que chaque wagon est plombé. Ils portent, sur leurs parois, des feuilles imprimées. Je m'écarquille les roberts pour tenter de déchiffrer ce qu'il y a d'écrit dessus, mais je n'ai pas des yeux d'aigle, tout ce dont je m'aperçois, c'est que c'est de l'italien. Le mystérieux tortillard vient de passer les Alpes. Bourgoin est le point prévu pour le changement de locomotive, certainement.

CHAPITRE III

L'arrivée d'un autre train interrompt ma contemplation. C'est un train de voyageurs cette fois. Il ratisse les braves terreux qui se branlaient les cloches sur le quai. Maintenant, excepté mon convoi, il n'y a plus personne dans le secteur. Les employés coltinent quelques caisses débarquées du dernier train, puis quittent la gare pour aller boire un glass à l'un des bistrots faisant l'angle de la place.

Je me dis que ça ne sert à rien de regarder ces deux wagons. Je sais comment ils sont faits, et je sais aussi comment sont fringués les costauds de l'armée du Reich qui les gardent.

Je m'apprête à boucler lorsque mon attention – toujours en éveil – est attirée par l'arrivée d'un voyageur.

Si ce type n'est pas le frangin de mon Polak d'hier, moi je suis un bâton de réglisse. J'ai jamais vu deux frelots se ressembler de cette façon, et pourtant ils ne sont pas jumeaux, car celui-ci est beaucoup plus vieux que l'autre. Mais il est bien de la même couvée : c'est bien le même nez de rapace, les mêmes tifs incandescents, les mêmes yeux tristes et flous…

Il tient une petite valoche à la main et il vient du côté du train remisé. Il regarde attentivement, trop attentivement même, en direction des Frisés, si bien que l'officier qui discute le bout de gras avec l'un des convoyeurs s'interrompt pour le fixer d'un air plein de suspicion. Le Polonais s'en aperçoit et, pour se donner une contenance, vient à l'urinoir, ce qui prouve que les grandes idées se rencontrent toujours.

Il pénètre dans l'édicule et a un haut-le-corps en me voyant.

Je pose mon index sur mes lèvres.

— Vous parlez français ? questionné-je, dans un souffle.

Il fait un signe affirmatif et me bigle comme si j'étais la réincarnation de Mahomet.

— Vous êtes polonais, dis-je… Je suis au courant, les tortues… Hier j'étais en compagnie de votre frère lorsqu'il a été descendu.

— Ainsi il est mort ? soupire-t-il.

— Oui.

— Qui êtes-vous ?

En quelques phrases hachées, je lui raconte dans quelles circonstances j'ai fait la connaissance de feu son cadet. Je lui dis que j'ai déchiffré le message des tortues. Il fronce les sourcils et son nez se courbe davantage encore.

— Vous doutez de moi ? je fais. Vous n'êtes pas psychologue, mon vieux. Qu'est-ce que je foutrais dans ce gaulatorium avec mon crâne rafistolé si je n'étais pas celui que je vous affirme être ?

Il approuve du chef.

La confiance lui revient peu à peu.

— Que venez-vous faire ici ? je questionne.

— Faire sauter le train…

Je sursaute :

— Tout simplement ?

— Il le faut bien, puisque le message n'est pas parvenu. Nicolas portait les tortues à la messagère qui devait les emmener à Lyon. Dans notre organisation tout se fait par chaîne, en troïka, comme le système russe, nous nous connaissons trois par trois, ceci afin d'éviter les risques d'aveux.

— Je comprends, le principe est bon, seulement, lorsqu'un maillon casse, ça fout une drôle de panne de secteur.

— Ceux de Lyon auraient dû être prévenus à la première heure, ce matin, afin de pouvoir envoyer un message à Londres pour permettre le bombardement de ces deux wagons ; pendant deux heures ils sont immobiles sur une voie de garage, c'est une occasion unique !

— Leur contenu est donc si important ?

— Il l'est formidablement ! affirme le Polonais.

Des larmes brillent dans son regard. Il a les mâchoires serrées et ses maxillaires saillent étrangement sous la peau râpeuse des joues.

— Je dois faire sauter ces wagons, répète-t-il avec son accent guttural.

Il ajoute :

— Je mourrai aussi, mais ils sauteront puisque je suis seul à pouvoir exécuter les ordres.

— Vous avez ce qu'il faut ? dis-je en désignant la petite valise.

— Oui.

— On pourrait fait ça à deux, proposé-je.

Il me regarde d'un air indécis.

— Seul vous n'arriverez à rien, fais-je avec force. Une rafale de mitrailleuse, vous savez, c'est vite lâché… et vite reçu. Elle est bonne, votre camelote, au moins ?

Il ne comprend pas tout de suite. Je lui explique que c'est des explosifs dont je veux parler.

— Ça fait boum sur simple choc ou bien faut-il un détonateur ?

— Simple choc.

— Faites voir si c'est lourd.

Je la soupèse.

— Bigre, jamais ils ne vous laisseront approcher suffisamment pour que vous puissiez jeter ça sur les wagons…

— J'en ai peur.

— Vous avez une autre idée ?

Il me dit que non. Les idées, ça n'a pas l'air d'être son fort. Il est courageux et c'est tout. C'est le mec qui devait charger à cheval contre les panzers au moment de la campagne de Pologne, mais pour ce qui est du boulot cérébral, il ne serait pas fichu de gagner une partie de dominos à un gosse de la maternelle.

— Attendez, vieux, je sens que chez moi ça fermente. Oui, je tiens le bon bout.

Je regarde autour de moi. Il y a, sur une autre voie annexe, une machine que l'on va atteler au convoi. Auparavant, il faut qu'elle aille rejoindre la voie principale, qu'elle la remonte jusqu'au-delà des deux wagons et qu'elle fasse machine arrière après qu'on lui ait donné l'aiguillage de la voie de garage.

D'où je suis, je la vois très bien, cette machine, elle « fait » de l'eau, pour employer le langage technique, j'en connais une portion dans la chose des trains ; comme dit l'autre, j'ai jamais été chef de gare, mais j'ai tout de même été cocu.

— Vous avez un pétard ?

— Un quoi ?

— Un revolver.

— Oh oui ! fait le Polak.

Ma question le surprend, ce gars-là n'imagine pas que, par les temps qui courent, on puisse envisager de se promener sans arsenal.

— En avez-vous deux ?

— Oui.

— Alors passez-m'en un.

Il obéit sans se faire tirer l'oreille.

— Il s'agit de faire vite. Nous allons aller séparément jusqu'à la machine que vous voyez là-bas, toute seule. Elle se trouve cachée aux yeux des Fritz et des employés par le refuge d'attente situé de l'autre côté des voies. Nous allons faire comme si nous ne nous connaissions pas, vu ?

— Vu !

— Vous ne ferez rien d'autre que les cent pas à proximité de la locomotive jusqu'au moment où je poserai ma main à plat sur le sommet de ma tête, comme ceci. Vous voyez ?

— Je vois.

— Alors, sans perdre un instant, vous attacherez votre valtouze après l'un des tampons de la locomotive. Solidement, manquerait plus qu'elle glisse avant le heurt que j'espère provoquer. C'est compris ?

— C'est compris.

— Vous n'avez pas un journal sur vous ?

— Non.

— Ça ne fait rien, je vais en acheter un au kiosque de la salle d'attente. Pendant ce temps vous irez à la loco ; surtout ayez un air naturel, vous ressemblez à un conspirateur d'opérette, soit dit sans vous vexer. Fumez, grattez-vous les fesses, mais ayez l'air naturel, je vous en conjure... Bon, vous êtes prêt ?

— Je le suis...

Il me pose la main sur le bras.

— Et après ? questionne-t-il.

— Après quoi ?

— Après que j'aurai attaché la valise au tampon ?

— Vous pourrez aller au cinéma ou bien voir votre bonne amie, je me charge du reste... Surtout ne restez pas dans les parages car tout laisse à prévoir qu'il va y avoir un drôle de pastaga !

— Et vous ?

Il commence à me battre les bonbons avec ses incessantes objections, ce Polak-là !

— Moi, lui dis-je, je ferai l'impossible pour remiser les os du bonhomme, faites confiance.

Il n'insiste pas et s'éloigne.

Lorsqu'il a pris un peu de champ, je quitte l'édicule à mon tour et je me dirige d'un air de souverain ennui jusqu'à la salle d'attente. J'achète le *Dimanche illustré*. Heureusement, j'ai juste assez de mornifle dans mes fouilles pour me permettre cette extravagance. Ceci fait, je le plie, le glisse dans ma poche, et, à tâtons, je fourre à l'intérieur de la feuille le soufflant que le Polonais a mis à ma disposition.

Toujours nonchalant, je traverse les voies.

Il fait une chaleur de crématorium. L'été est en avance cette année, probable que le grand manitou qui s'occupe de la météo, là-haut, s'est dit qu'il ne fallait pas tarder because après les offensives de printemps y aurait des flopées de pauvres mecs qui ne seraient plus là pour profiter des pâquerettes.

Les grillons font un raffut du diable. L'univers est tranquille comme une carte postale en couleur. Même les factionnaires allemands ont tendance à s'avachir autour des wagons.

Lorsque le refuge dont j'ai parlé au Polak est dépassé, j'abandonne mon allure de flâneur innocent et je me dirige vers la locomotive. Le copain à la valise est dans le secteur. Il regarde le remplissage des caisses à eau en se rongeant les ongles.

Je m'approche de la machine. Le mécanicien est justement en train de couper la flotte. Il tire l'immense bec de côté. Je jette un regard sur la plate-forme de la locomotive : personne. Son chauffeur n'est pas encore là ; il doit faire son petit plein à lui sous les frais ombrages du café-jeux de boules.

Comme le mécano s'apprête à escalader les marches du monstre d'acier[1], je l'intercepte.

— Vous avez une seconde ? je lui fais.

C'est un mec à la figure franche et ouverte, bien sympa.

— Ouais ? dit-il en me regardant. C'est pour quoi ?

Je tire le canard de ma profonde.

Je le déplie de façon à lui laisser voir le revolver. Il le regarde gravement.

— Vous savez ce que c'est que ça, petit ?

Ses yeux se posent sur les miens.

— Et alors ? demande-t-il.

Il a du cran.

— C'est un 7,65. A bout portant, il vous ferait dans le bide un trou comme ça. Ça m'ennuierait de vous tirer dessus ; je n'ai jamais tiré sur un de mes compatriotes à moins qu'il ne s'agisse d'un gangster. Je ne connais pas vos opinions politiques et je

---

1. Cette image originale pour vous prouver que j'aurais pu faire un journaliste de première grandeur !

m'en tamponne le coquillard. Je vous annonce que je vais faire sauter les deux wagons si soigneusement gardés par les doryphores. Pour cela, j'ai besoin de votre locomotive.

« Je ne vous demande pas si vous êtes d'accord. Je commande et vous obéissez ; si vous essayez de me doubler, je vous mets du plomb dans la panse, de cette façon nous sommes l'un et l'autre plus à notre aise pour agir, pas vrai ? »

Il ne répond rien. Son visage reste impénétrable.

— Je monte avec vous ; vous allez reculer jusqu'à la hauteur du poste d'aiguillage qui se trouve près du passage à niveau, d'accord ?

Il grimpe sur la plate-forme et je pose ma main à plat sur ma tête avant de le rejoindre.

J'attends que le Polonais ait achevé de lier sa valise après le tampon avant de donner au mécanicien le signal de la manœuvre.

— Vas-y molo, conseillé-je, il y a maintenant après ton tombereau une charge d'explosif suffisante pour envoyer ton bled dans les nuages.

Je le regarde actionner ses volants.

— Bon, dis-je, si tu actionnes ce volant dans ce sens pour reculer, lorsqu'on veut aller en avant, il suffit de le tourner dans l'autre sens, non ?

— Oui.

Nous reculons lentement. A très faible allure,

nous pénétrons sur la voie principale et continuons notre mouvement de recul.

Quelques secondes plus tard, nous sommes à la hauteur du poste d'aiguillage. L'aiguilleur en sort, échevelé.

— Et alors ! hurle-t-il au mécanicien, t'es cinglé ou quoi ! Tu le sais peut-être pas que le 114 arrive dans quatre minutes ?

— Descends ! fais-je au mécanicien.

Il saute sur le ballast. Je le rejoins promptement, mon pistolet à la main.

— Calme tes nerfs, dis-je à l'aiguilleur, et ferme ça. J'ai horreur des types qui me racontent la vie de leur belle-mère au moment où je m'apprête à faire le saut de la mort.

Il n'en revient pas et je ne lui laisse pas le temps d'en revenir. D'un geste impérieux de ma main qui tient le revolver, je lui fais signe de rentrer dans sa cabine vitrée.

— Attrape tes esprits d'une main et tes manettes de l'autre, lui dis-je. J'ai deux petites manœuvres à te commander : primo, mets le signal rouge pour que ton 114 ne vienne pas faire la pirouette dans la gare ; deuxio, donne-moi l'aiguille pour la voie de garage.

Tout tremblotant, il s'exécute.

— O.K., fais-je après avoir vérifié la régularité des manœuvres qu'il vient d'accomplir. Je n'ai plus besoin de toi pour l'instant. Tiens-toi tranquille, et voilà du reste une potion calmante.

Je lui décoche un crochet foudroyant à la pointe

du menton. Le pauvre aiguilleur s'en va valdinguer au fond de sa cambuse. Il y demeure inerte comme un pantin de son.

— Dites, patron, murmure le mécanicien, lequel a assisté à la scène sans souffler mot, ça ne vous ennuierait pas de m'offrir une petite tournée à moi aussi, j'aime mieux pas savoir ce qui va se passer. Autant que possible, tâchez que ça marque pour que ça fasse plus sérieux.

— A ton aise, fiston, c'est moi qui rince aujourd'hui.

Je glisse le revolver dans ma poche et je lui fais une série légère à la face, juste pour le tatouer un peu ; lorsqu'il a le nez éclaté et l'oreille droite en chou-fleur, je lui administre le même crochet qu'à son collègue.

Puis, estimant que j'ai perdu assez de temps comme ça, je saute sur la plate-forme de la locomotive, tourne le volant en sens inverse et desserre le frein. L'énorme machine s'ébranle, lentement d'abord, puis, comme je continue à dévisser le volant, elle prend de la vitesse. La gare se rapproche rapidement. C'est le moment de chercher un coin tranquille. Je saute de la locomotive, escalade le talus, enjambe la barrière de ciment bordant la voie et cours jusqu'à un petit mur proche. Je m'accroupis derrière et j'attends.

Pas longtemps ! La locomotive quitte la voie principale et s'engage à forte allure sur la voie de garage.

Les factionnaires allemands, surpris par cette

arrivée intempestive, hurlent des *Achtung !* à tous les échos et s'écartent.

Alors c'est brusquement le tonnerre de Zeus qui retentit. Le gros boum d'Apocalypse ! Le triomphe du bruit ! La manifestation suprême du badaboum !

On dirait qu'une main géante jongle avec le train. Des morceaux de ferraille, de bois, de bidoche voltigent un peu partout. On entend des cris, des imprécations… Les vitres de la gare se mettent à faire des petits. Un nuage opaque monte de la paisible station. Lorsqu'il est dissipé, j'ai sous les yeux le spectacle de la désolation. Il ne reste à peu près rien des deux wagons sinon un amas de matériaux calcinés. Du contingent de frizous, je n'aperçois plus qu'un mec complètement jobré qui court dans tous les sens en hurlant aux petits pois, et plusieurs blessés. Le reste est mort ou escamoté par la déflagration. J'en découvre un, ou plutôt une partie d'un sur le toit de la gare. Pour ça, le Polak a bien fait les choses. C'était de l'explosif de toute première fraîcheur…

Il me dit qu'il ne s'agit pas de moisir dans le secteur. En général, les incidents de ce genre, ça les rend nerveux, les vert-de-gris !

Ils vont se la ramener en force et jouer à la révolution mexicaine. Ceux qui ne leur plairont pas iront faire une croisière au Paradis avant ce soir.

Je me relève et me mets à trotter comme un lapin dans la ruelle.

Comme je vais tourner le coin de la rue, j'entends une voix crier :

— Commissaire !

Je me retourne. C'est le docteur Martin. Il se pointe en gesticulant.

— Quel feu d'artifice ! s'exclame-t-il. J'ai tout vu, c'était formidable ! Ma voiture est au passage à niveau...

Il cavale à mes côtés. Son vieux chapeau à larges bords est tout cabossé. Il a un petit rictus heureux au coin des lèvres.

— A droite ! fait-il.

J'aperçois, rangée en bordure d'une rue tranquille, une cinq CV Citron qui doit dater de la bataille de la Marne. Le toubib se glisse derrière le volant et m'ouvre la portière de droite.

— Grimpez vite !

Il tire sur le démarreur. La voiture ne se fait pas trop tirer l'oreille. Le docteur met en première. Ses vitesses miaulent comme un panier de chats. Nous filons par saccades d'abord, puis le régime se régularise. Nous passons devant le cimetière et piquons sur la cambrousse.

— Elle n'est plus jeunette, dit-il. Mais elle roule toujours, à condition qu'on lui mette de l'essence dans le ventre.

— Comment se fait-il que vous vous soyez trouvé là, doc ?

— Je suis un vieux bonhomme curieux... Moi aussi, ça me tarabustait l'esprit, ce message. Alors, mine de rien, je suis allé rôdailler vers le passage à niveau d'où l'on jouit d'une perspective d'ensemble de la gare… J'ai tout vu, on se serait cru au cinéma…

Il se gratte la barbiche.

— Qui était l'homme à la petite valise ?

— Le frère de mon Polak d'hier. Il avait une charge d'explosifs mais ne savait pas trop qu'en faire…

— Ils n'ont pas de chance dans la famille, soupire le vieux toubib.

— Pourquoi ?

— J'ai failli recevoir sa tête dans le dos. Cet âne qui ne voulait rien perdre du spectacle s'est gentiment posté en face des wagons.

Je secoue tristement la tête.

— Y a des tordus partout. Il n'avait qu'une peau et ça le démangeait d'en faire cadeau à la société… Certains types ont le béguin de la mort, vous voyez ce que je veux dire ?

— Très bien. Vous avez raison, le goût de la mort est assez fréquent.

— C'est facile de se faire déplumer par la grande faucheuse, mais c'est pas ça, le courage, le vrai, hein, doc ?

— Non, dit-il, ça n'est pas ça.

— Où est-ce que vous m'emmenez ?

— Faire une promenade à la campagne. Ne pensez-vous point qu'il est préférable de laisser les choses se tasser un peu, là-bas ?

— Et comment !

— Je connais une petite auberge où l'on boit

un vin honnête en mangeant des fromages de chèvre…

— Ça me va. Churchill a dit en parlant de la France qu'un pays qui avait deux cents variétés de fromages et autant de variétés de pinards pour consommer avec ne pouvait pas perdre la guerre…

— Ça n'est pas bête, sourit le docteur.

Je fronce les sourcils.

— Dites donc, je vais vous faire repérer avec ma tronche empaquetée…

— Allons donc ! Un homme pansé ne fait jamais remarquer un médecin, au contraire…

— C'est vrai, dis-je, on va me prendre pour un de vos malades. Espérons que nous ne rencontrerons pas de gendarme en cours de route, because je n'ai pas un gramme de papiers sur moi, les boches m'ont tout ratissé.

— Je suis connu par ici, répond simplement Martin.

Nous rentrons à la nuit tombée.

Doc et moi avons passé un chouette après-midi sous les ombrages d'un tilleul, au milieu des poules et des canards. Y a pas, c'est rudement chouïa, la cambrousse ; et les paysans sont de braves mecs, lorsqu'on les connaît. Le toubib est pote avec tous. Le père Martin connaît une flopée d'histoires aussi spirituelles que des anecdotes d'almanach, mais qui font de l'effet aux campagnards.

Quand on rentre, on en a un sérieux coup dans les tiges. Le petit docteur braille comme un hussard en lâchant son volant, mais sa tuture est à la page et suit gentiment le bord de la route comme un vieux bourrin bien dressé. Il fait clair de lune. Je me sens à l'optimisme. Mon coup sensationnel de l'après-midi m'a mis du baume dans le poitrail… J'ai pas lessivé la môme Gertrude, mais je crois que j'ai fait du meilleur turf. M'est avis que les wagons contenaient une denrée vachement précieuse pour être ainsi dorlotés.

On arrive à Bourgoin. Le docteur me propose de vider le dernier au bistrot du coin et j'accepte. Le patron qui le connaît lui met au frais sa bouteille de perniflard. On s'en tasse trois verres et on décide d'aller se pieuter.

Je suis plein comme un œuf. Le long des trottoirs, les gens discutent à voix basse du coup de cet après-midi. Ça nous fait marrer, Martin et moi. Du reste, dans l'état où nous sommes, un rien nous fait marrer. C'est inouï ce que le picrate rend optimiste…

Il nous faut un bon quart d'heure pour rentrer la teuf-teuf au garage. D'abord on n'arrive pas à ouvrir la lourde, ensuite la voiture refuse d'avancer. A l'examen on s'aperçoit avec des exclamations réjouies que le levier des vitesses est au point mort.

Je m'en souviendrai de cette équipée ! Et du père Martin, donc ! Des médecins comme lui, y en aura jamais assez !

Cinq nouvelles minutes pour réussir à introduire

la clé dans le trou de la serrure qui lui est destiné… Rigolades nouvelles… Nous entrons dans la petite maison.

— On va, hug, boire, le, hug… balbutie Martin.

En titubant, il se dirige vers la salle à manger.

— Je, hug, trouve pas le co… co… commuta… hug, teur ! bégaye le bon vieillard.

Bien que je sois aussi schlass que lui, je viens à son secours.

Nous promenons désespérément nos mains de bas en haut du montant de la porte.

— Je le tiens, fais-je péniblement.

La lumière inonde la pièce. Nous cillons. Puis nous regardons autour de nous et nous restons bouches bées et bras ballants. La maison est pleine d'Allemands qui nous regardent fixement en tenant des mitraillettes braquées dans notre direction.

— Delirium, balbutie le docteur Martin… C'est pas des chauves-souris que je vois, c'est des, hug, doryphores…

Pour ma part, je crois bien avoir également une hallucination. Je me frotte les yeux et les écarquille le plus possible, mais mes sens ne sont pas abusés.

C'est bien des Allemands que j'ai devant moi. Des Allemands en chair, en os et en… armes.

Ils ne sont peut-être pas aussi nombreux que je le crois, car ma vision est au moins multipliée par deux, il y en a suffisamment en tout cas pour faire de nous des beaux morts.

Je voudrais tenter quelque chose, n'importe quoi, mais décidément je suis trop soûl.

J'esquisse un geste d'impuissance ; je bredouille des mots aussi inintelligibles pour moi que pour la compagnie, et soudain, quelque chose se déchire dans mon crâne.

Le parquet vient à ma rencontre.

CHAPITRE IV

J'ai vaguement conscience d'être attrapé par les jambes et par les pieds. On m'emmène en excursion. Ce balancement m'endort pour de bon.

Lorsque je me réveille, je suis étendu sur le sol carrelé d'une ancienne cuisine. On a vissé une plaque blindée comme un contre-torpilleur elle aussi.

Pas un meuble, pas un objet, dans cette petite pièce. Moi, simplement, avec la gueule de bois la plus formidable de ma carrière.

Je prête l'oreille. De l'autre côté de la porte, il y a un bruit de bottes. De temps à autre j'entends crier des trucs en allemand. J'ai dans l'idée que je suis dans de beaux draps. C'est ma faute, j'ai péché par excès de confiance ; j'aurais bien dû penser que les frizous n'étaient pas bouchés au point de ne pouvoir mener une enquête sur les causes de l'explosion. Trop de gens, dans la gare, m'ont remarqué, avec mon pansement, et l'aiguilleur molesté avec son pote le mécanicien

ont dû donner sur moi toutes les indications
désirables. Comme un grand nombre de pèlerins
m'ont vu en compagnie du toubib, ils n'ont eu qu'à
établir une souricière au domicile de ce dernier :
l'enfance de l'art ! Jamais je ne me suis laissé pos-
séder aussi facilement.

J'ai exagéré en disant qu'il n'y avait aucun objet
dans la pièce ; j'oubliais l'évier et le robinet d'eau.
J'ouvre ce dernier en grand et je me mets la nuque
dessous, après quoi je fais couler la bonne flotte
dans mes mains et je m'asperge longtemps le
visage. Deux ou trois bonnes gorgées et il ne me
manque plus qu'un comprimé d'aspirine pour être
un mec d'attaque.

Je vais m'accroupir dans un angle de la cuisine
et j'attends patiemment le bon vouloir de ces
messieurs.

Je ne me fais pas beaucoup d'illusions sur le
sort qui m'attend. Ma belle petite existence va
s'achever devant un peloton d'exécution. Douze
balles brûlantes me composteront ; pas marrant,
mais je préfère cette fin façon manuel d'histoire
de France à celle des pauvres gnaces qui claquent
d'un cancer au fond de leur dodo. Au moins, ça
se passe au grand jour... Et puis, c'est régulier. Je
leur ai fait un coup d'arnaque ; ils m'ont pincé, je
paie la casse... Rien à redire à ça. Ce qui me tur-
lupine, par exemple, c'est la pensée que le pauvre
docteur Martin va en avoir sa part. Il va payer
cher sa gentillesse et son dévouement, enfin, si par

hasard on m'interroge, j'essayerai de le blanchir le plus possible.

J'en suis là de mes réflexions plutôt grises lorsque la porte s'ouvre. Deux soldats en armes se tiennent dans l'encadrement et, d'un geste brusque, me font signe de les suivre. Je me lève et viens m'intercaler docilement entre eux deux.

Je me rends compte, sitôt la lourde passée, que je me trouve dans une grande maison de maître réquisitionnée par les troupes d'occupation et aménagée en succursale de la Gestapo. Il y a des plaques blindées partout. A travers les barreaux d'une fenêtre, je vois des écheveaux de fils de fer barbelés autour de la propriété ainsi qu'un nombre impressionnant de sentinelles. J'ai idée que la cambuse doit être habitée par une forte personnalité.

On me fait grimper un étage et les soldats ouvrent une porte vitrée. Nous pénétrons dans une vaste pièce qui devait servir de salon, mais qui a été transformée en burlingue. Il y a des classeurs métalliques le long des murs et un large bureau de bois au milieu de la pièce.

Derrière ce meuble se tient un commandant; dans l'angle de la pièce, près de l'embrasure d'une fenêtre, se trouve une secrétaire en uniforme qui tape à la machine.

Je salue le commandant d'un petit signe de tête – la politesse ne coûte rien, comme l'affirme Félicie, ma brave vioque. Le gnace est très grand, très maigre, avec les cheveux grisonnants, coupés court et l'inévitable monocle vissé dans l'œil. Le monocle, c'est leur arme de choc numéro 1. Et cette arme s'appelle l'intimidation. Elle fait partie de la propagande de cette bande de tocassons.

— Major von Gleiss, dit-il en s'inclinant.

— Durand, fais-je en m'inclinant à mon tour.

Il sourit et me désigne un siège.

— Vous avez changé de pseudonyme, monsieur le commissaire ?

Je comprends illico que ça n'est pas la peine de jouer au petit pompier.

— Je vous écoute, monsieur le major.

Il pousse vers moi un coffret de cigarettes.

— Vous inversez les rôles, cher ami, c'est moi qui vous écoute.

— Bon, fais-je en allumant une sèche, je veux bien vous réciter une fable car je ne sais pas chanter ; que diriez-vous du *Loup et l'agneau* ?

— Vous avez la réputation d'être un homme d'humeur plaisante, murmure-t-il en saisissant l'allumette à demi consumée que je tiens encore.

Il l'utilise pour ranimer un mégot de cigare qu'il vient de piocher dans un cendrier.

— C'est la dèche, dans la Wehrmacht ? je demande... Les officiers fument les clops maintenant ?

Son sourire s'efface. Son visage reflète maintenant, non pas la colère, mais comme une sorte d'ennui poli.

— A quoi bon ces petites plaisanteries ? demande-t-il, nous avons des choses tellement plus importantes à nous dire...

Je lui tends ma cigarette.

— A quoi bon cette cigarette ? je demande.

Il se mord la lèvre inférieure.

— Commissaire, je connais votre réputation, je sais tout ce que vous avez fait en France et en Belgique depuis quelque temps[1].

Il rajuste son monocle. Sans doute le pas de vis est-il faussé, car il a de la peine à y parvenir.

— Vous êtes ce qu'on appelle chez vous un dur. Vous ne craignez, je ne l'ignore pas, ni la mort ni même la torture. Cependant, je vous fais une petite proposition.

— La vie sauve ? dis-je en rigolant, la fameuse vie sauve qui est comme la carotte que vous brandissez devant le nez de l'âne pour le faire avancer.

— Non, dit-il.

Il a retrouvé son sourire.

Là, il commence à m'intéresser, le frangin. Je le regarde avec un certain intérêt. Qu'est-ce qu'il peut bien avoir à me proposer ?

— Voyez-vous, reprend-il, après ce qui s'est passé hier...

Je l'interromps.

— Hier ?

C'est pourtant vrai qu'il fait grand jour. Alors j'en ai écrasé pendant des heures ? Ils sont gentils de m'avoir laissé dormir, les sulfatés.

1. Lire : *Laissez tomber la fille* et *Les Souris ont la peau tendre.*

— Oui, hier, en gare de cette ville… Je suppose que vous n'allez pas vous donner la peine de nier, avec la somme des témoignages que je puis vous opposer.

— Il n'est pas question de nier. Je reconnais volontiers que c'est moi qui ai envoyé vos deux wagons dans les nuages.

— Parfait. Consécutivement à cet acte de sabotage…

Il s'interrompt et me regarde.

— Consécutivement est-il français ? demande-t-il d'un air soucieux.

— Oh, passez la paluche, je lui fais ; vous savez, moi, je suis pas un puriste du langage. L'Académie, c'est à l'étage au-dessus…

— Bien, poursuit-il, consécutivement à cet attentat, car c'est le terme qui convient, n'est-ce pas ?

— Exactement, dis-je non sans noblesse.

— Nous avons arrêté vingt personnes à titre d'otages. Elles seront exécutées demain matin si le coupable n'est pas découvert.

— Alors, relâchez-les…

— Ah oui ?

— Dame, puisque vous me tenez…

— Pour moi, un vrai coupable est un individu qui a non seulement avoué son crime, mais encore a expliqué comment il l'a commis et a dit les noms de ceux qui l'ont aidé à le commettre.

— Facile, fais-je, j'ai fait sauter votre train en permettant à un petit Polonais d'attacher une valise d'explosifs sur le tampon d'une locomotive que j'ai, ensuite, dirigée sur le convoi à détruire…

« Le petit Polonais est mort. C'était mon unique complice. Voilà, je suis un vrai coupable tel que vous l'entendez ; libérez les otages et attachez-moi à un bout de bois planté en terre… »

— Non, non, dit-il en tripotant son bout de verre ; pas avant de savoir certaines choses…

— Lesquelles, par exemple ?

— Par exemple, la façon dont vous avez appris que nous dirigions les deux prototypes de bombes téléguidées vers la côte Atlantique en passant par cette ligne détournée.

— Je n'ai rien appris du tout, von Machin… Excusez-moi, je n'ai pas la mémoire des noms. Le petit Polonais voulait détruire les wagons ; je lui ai donné un coup de main en ignorant ce que ces derniers transportaient.

— C'est ce que vous cherchez à me faire croire ?

— Je ne cherche pas à vous faire croire quoi que ce soit ; je vous dis la vérité ; un point c'est tout.

— Dommage, pour les otages…

— Hein ?

— Car cette vérité ne me convient pas. Vous allez me parler du groupe secret pour le compte duquel vous travaillez… Et auquel appartenaient les deux Polonais… La femme qui travaillait avec eux nous a échappé, son nom et nous essayerons de nous entendre.

— Je ne la connais pas. Bon Dieu, mettez-vous

dans le crâne que je suis entré tout à fait accessoirement dans cette histoire et que je n'en connais
pas du tout les rouages…

Il fait claquer ses doigts avec agacement.

— Vous cherchez toujours à ruser, vous autres
Français, vous nous jetez du grain aux yeux…

— De la poudre, cher major. On dit de la
poudre aux yeux…

Sur ces entrefaites, la porte s'ouvre et, devinez
qui fait une entrée fort savante dans le bureau ?
Tout bonnement ma brave amie Gertrude.

Elle ouvre des yeux de chat en transes et s'approche de moi.

— Par exemple ! balbutie-t-elle…

— Vous connaissez cet homme ? demande
l'officier.

— Si je le connais. C'est lui qui devait m'abat-
tre. Avant-hier, nous l'avons laissé sur le plateau
d'une scie en mouvement ; mais il faut croire que
le diable le protège…

Le major joue à enflammer des allumettes
qu'il envoie promener d'une chiquenaude dans la
pièce.

— Vous ne perdez pas de temps, commissaire… Mes compliments.

Gertrude s'approche de moi. Cette fille, faut que
je vous affranchisse sur sa géographie une fois
pour toutes. Laissez-moi d'abord vous dire qu'elle
a des oranges sur l'étagère qui vous feraient traiter
de touche-à-tout ! Ses yeux sont fendus en amande,
leur couleur est indéfinissable. Mettons verdâtre et

n'en parlons plus. Lorsqu'elle les pose sur vous, un grand malaise vous envahit. Vos doigts de pieds se recroquevillent comme des fleurs fanées et vous avez à la fois envie de la prendre dans vos fumerons et de lui filer une danse. Elle est brune, sa bouche est juste comme j'aime les bouches des pépées ; pulpeuse et goulue…

— Drôle de type, murmure-t-elle…

— Drôle de fille, je dis du tac au tac et sur le même ton.

Elle se tourne vers le major.

— Ainsi c'est lui qui a fait sauter le convoi ?

— Oui, dit von Truquemuche, il le reconnaît de fort bonne grâce du reste. Par contre, il se refuse obstinément à nous donner des détails sur l'organisation qui a des ramifications jusqu'à nos usines d'Italie…

— Amnésie ? me fait-elle d'un petit air vachard.

— Ignorance, lui réponds-je.

— Vous avez employé certains… certains, mettons arguments ? demande-t-elle à son copain.

— Ces moyens-là sont, je le crains, inopérants sur un homme de cette trempe, soupire le major. Je lui propose par contre la vie de vingt de ses compatriotes contre quelques petites confidences.

Moi, je ne sais pas si vous le comprenez, je sens que ma température commence à grimper sérieusement. Il est gentil, dans son genre, le monoclé, mais il me fait tartir copieusement avec son marchandage de négrier.

— Je ne peux pas vous inventer une histoire,

hé, major de mes trucs ! je gueule brusquement ;
je suis pas romancier ! Sans blague, je me tue à
vous dire que j'ignore absolument tout de cette
organisation. Les deux seuls membres qu'il m'a
été donné de connaître sont mortibus. Je les ai vus
cinq minutes chacun, le premier ne jasait pas un
mot de françouze et l'autre traînait sa valise de
pétards comme un besoin de pisser... C'est tout !

— Voyons, reprend le major d'une voix douce,
vous devez bien être au courant de leur activité.
Je ne vous demande que le nom de la femme qui
travaillait pour eux et que nous n'avons pu appré-
hender... Je sais que c'est elle qui tenait le contact
avec ceux de Lyon. Il me la faut.

— Malheureusement je ne la connais pas.

— Malheureusement pour vous, reprend-il.

— Malheureusement pour moi si vous
voulez...

Il passe un bout de langue rose sur ses lèvres
minces et rajuste, une fois de plus, sa rondelle.

— Nous sommes décidés à mettre le prix. Si
vous parlez, non seulement je libère immédiatement les otages, mais je vous promets la vie
sauve...

J'éclate de rire.

— Ça y est, je fais, v'là le grand truc lâché :
la vie sauve. Avec une liasse de billets de mille
épaisse comme une tranche de pudding, et peut-
être aussi un passeport visé pour la Suisse.

— Vous avez ma parole d'officier que...

— Ecoutez, major, dis-je bien tranquillement,

votre parole d'officier, si vous permettez, je la mets sous mes fesses.

Il a un sursaut.

Il se tourne vers sa secrétaire : une petite blonde gentiment carrossée qui noircit imperturbablement du papier. Ce gars, il doit avoir un sens de l'honneur aussi développé qu'une molaire d'éléphant. Devant les inférieurs, ça le heurte qu'on lui parle sur ce ton.

Il grommelle quelque chose en allemand.

— Si c'est à moi que vous parlez, dis-je, faudra répéter en français, because j'ai oublié mon dictionnaire french-deutsch.

Gertrude qui a suivi ces derniers échanges sans mot dire, intervient.

— N'usez pas votre salive, mon commandant ! La parole est aux actes, comme disent ces porcs, sans faire autre chose que de parler, d'ailleurs.

Le major se lève ; il est plus long qu'un cierge de cérémonie. Il fait une drôle de bouille, le gars ; si le directeur du musée Grévin le voyait, il se ruinerait pour l'avoir dans sa collection.

— A propos, major, je demande, qu'est devenu ce vieil ivrogne de docteur qui m'a fait mon pansement ?

— En prison ! dit sèchement mon interlocuteur.

— Tiens, vous ne l'avez pas encore coupé en quatre ?

Je fais exprès de paraître désintéressé ; c'est le meilleur moyen de lui être utile au père Martin.

— Cet homme ne nous intéresse pas, dit

l'Allemand avec un haussement d'épaules méprisant. Il ne mérite même pas que nous réservions douze balles pour sa carcasse, c'est un raté, un raté comme la France en compte tant. Nous en faisons cadeau à la France…

Il rit. En ce qui me concerne, si je ne m'écoutais pas, je lui collerais bien un paquet d'osselets d'une livre sur la muselière, seulement je m'écoute. Mon subconscient qui tient le crachoir me dit de rester calme et de voir venir. Le père Martin semble se tirer miraculeusement les pattes de ce bourbier, tant mieux, je ne vais pas risquer de le compromettre par un éclat.

— Vous n'avez rien à ajouter? insiste von Machin.

— A ajouter à quoi?

— A vos déclarations…

— Faites pas rire, j'ai les lèvres gercées, von Truc; vous appelez ça des déclarations…

Il a enfin un mouvement de colère. Je vois son poing racé se serrer et devenir tout blanc sous la contraction. Il s'empare d'un crayon, le casse d'un coup sec; puis il éclate :

— Cet individu est impossible! Gertrude… Il sera fusillé demain matin…

— Mon cher, murmure la donzelle, vous êtes terriblement conformiste.

— S'il vous plaît?

— Pourquoi le matin? Toujours le matin! Parce que c'est l'habitude qui le veut? Il faut se lever tôt; il fait frais, on s'enrhume, souvent il y a du brouillard. A quoi bon remettre au lendemain ce qu'on peut faire le jour même ?

— Comme il vous plaira, Fräulein.

Elle demande, langoureusement :

— Vous me le laissez ?

Il a un mouvement des lèvres comme pour demander : « Pour quoi faire ? », puis il comprend sa pensée et acquiesce.

— Prenez-le, Gertrude, et essayez de lui soutirer le petit renseignement qui me serait si agréable.

— Comptez sur moi, dit-elle.

Le major fait claquer ses doigts. Les deux soldats qui m'escortent m'empoignent par le bras et m'entraînent dans le couloir. Nous redescendons l'escalier, je crois d'abord que c'est pour regagner ma cuisine-cellule, mais nous descendons encore. Je suis bon pour le sous-sol, j'ai compris.

La villa a le confort ultra-moderne : chauffage central et chambre de torture. La chaudière du chauffage et la pièce réservée aux interrogatoires se trouvent à la cave, comme il se doit. Mes gardiens m'introduisent sans ménagement dans le local de la « question ». J'en fais l'inventaire d'un rapide coup d'œil. Il y a là un fauteuil en bois massif qui ressemble à une espèce de trône, une baignoire, une table, une chaise et, accrochée aux murs, toute une panoplie épouvantable que je préfère ne pas détailler.

Ils me font asseoir dans le fauteuil et me lient

les jambes après les pieds du meuble tandis que mes poignets sont fixés aux accoudoirs.

Cela fait, ils sortent.

Je me dis que les réjouissances ne vont pas tarder à commencer, mais, contre toute attente, rien ne vient. Sans doute un long recueillement fait-il partie du programme ?

Je me fais salement tartir dans cette cave ! Il n'y a pas d'issue, pas le moindre soupirail, rien ! C'est bouché comme le cerveau d'un gendarme… Une ampoule électrique poussiéreuse pend au bout d'un fil ; un vrai décor réaliste, je vous le dis ! Avec quelques chauves-souris, on attraperait même le style médiéval…

Un temps infini s'écoule, dont je n'ai pas la notion exacte. Je l'occupe à réfléchir sur les aléas de ma situation. Vous conviendrez sans peine que, même considéré avec le maximum d'optimisme, mon baromètre personnel est loin d'être au beau fixe ! Il est plutôt à la gadoue, et, à moins d'une manifestation occulte, ce soir j'aurai terminé ma brillante carrière.

Il va avoir droit au salut militaire, le petit San-Antonio, madame, et, tout de suite après, au salut éternel.

On a beau s'y attendre, ça fait tout de même quelque chose.

L'arrivée de Gertrude fait diversion. Elle est flanquée de la petite secrétaire de von Chose. Elle referme la porte derrière elles, posément, et coule sur ma pauvre personne son étrange regard.

— Connaissez-vous la recette du fringant agent secret à la broche ? demande-t-elle.

— Oui, je fais, mais si vous avez une recette particulière, allez-y.

— Par quoi commençons-nous ? s'informe-t-elle.

— Quelques coups de nerf de bœuf me paraissent tout indiqués pour une mise en train ?…

Elle se tourne vers la petite blonde.

— Il est courageux, hein ? lui dit-elle avec une pointe d'admiration dans la voix. J'aime les hommes courageux, ils m'excitent. Et vous, Gretta, ils vous excitent aussi ?

L'interpellée rougit et ne répond rien. Gertrude éclate de rire.

— J'ai envie de goûter à ce petit terroriste, murmure-t-elle…

Elle s'approche de moi, s'assied en biais sur mes genoux et pose ses lèvres sur les miennes. Sa langue incisive pénètre entre mes dents, sans façon.

Croyez-moi, on a beau avoir un pied dans la tombe et l'autre sur une peau de banane, un machin de ce genre, exécuté par une gerce baraquée comme l'est Gertrude, ça flanquerait du nerf à un ours en peluche.

Comme ils ne m'ont pas attaché la langue, je lui rends sa politesse ; je peux même vous avouer que je lui paie les intérêts.

La fille blonde qui assiste à la scène n'en revient

pas. Elle nous contemple d'un air ravagé qui me ferait marrer en toute autre circonstance.

Comme l'être humain a besoin de respirer de temps à autre, Gertrude s'écarte de moi. Nous revenons à la surface.

— Il n'est pas mauvais, fait-elle d'une voix faussement ironique…

Sa poitrine se soulève avec force et tend la soie du corsage.

— Vous pouvez y goûter, Gretta, dit-elle.

Gretta baisse la tête et ne fait pas un mouvement.

— Embrassez-le ! ordonne sèchement Gertrude.

Cette souris, croyez-en ma vieille expérience, c'est une drôle de vicelarde. Elle est truffée de complexes comme une dinde de Noël l'est de marrons.

Gretta fait quelques pas vers moi. Elle se penche avec raideur et dépose un baiser furtif sur ma joue gauche.

— *Mein Gott !* Ce que vous êtes timide, s'exclame Gertrude, vous appelez ça un baiser ? Il faut vous dégourdir, ma fille ! Sur la bouche ! Je veux que vous l'embrassiez sur la bouche. Vous verrez comme c'est bon, le baiser d'un homme courageux qui va mourir…

— Avec vos manigances, je fais, c'est pas d'un caveau de famille, c'est plutôt d'un canapé que j'aurais besoin.

— Sur la bouche ! répète Gertrude, haletante… Sur la bouche, petite niaise !

Gretta pose ses lèvres sur ma bouche. Des lèvres fraîches comme de l'eau de source, dures et fruitées.

Puis elle se recule vivement.

— Bon, je fais, maintenant vous allez vous mettre au travail, je suppose, non ?

Gertrude décroche une cravache. Elle écarte la môme blonde et fait siffler son morceau de cuir.

Elle s'en donne un petit coup léger sur le poignet gauche et pousse un petit cri.

— Mais cela fait horriblement mal, dit-elle.

Elle lève la cravache et m'en balance un coup formidable en pleine poire. Pardon ! Elle doit faire quelque chose comme culture physique, la cocotte, pour avoir une force pareille. La lanière me mord les pommettes et l'oreille. Une barre de feu consume mon visage. Rappelez-vous qu'il a la tête drôlement solide, votre copain San-A., pour supporter des trucs de ce genre.

Je n'ai pas poussé le moindre soupir.

— Que pensez-vous de cela, cher ami ?

— Hum, dis-je en m'efforçant de sourire, c'est très surfait comme sensation, vous savez…

Elle pince les lèvres et remet ça à plusieurs reprises ; je suis obligé de drôlement serrer les dents pour ne pas gueuler.

Gertrude cogne comme une perdue ; elle est échevelée, livide, la sueur ruisselle sur ses tempes.

— Ne vous fatiguez pas, fais-je, en conjuguant mes dernières forces. Vous ne me ferez pas parler, d'abord parce que je ne sais rien, et puis parce que la douleur et moi avons passé depuis belle lurette un pacte d'amitié.

— Oh ! toi, grince-t-elle.

Elle se tourne vers Gretta.

— Allez prévenir von Gleiss qu'il commande le peloton ! Je veux que cet homme soit fusillé immédiatement.

Gretta quitte la pièce sans un mot.

— Je serai là, dit-elle, et je vous regarderai dégringoler, commissaire. Avez-vous vu fusiller des hommes ? Ils reçoivent une secousse terrible et ont des soubresauts de carpe…

— Gertrude, je murmure, je voudrais que vous me fassiez une promesse ultime, vous ne pouvez pas refuser cela à un homme qui va quitter ce monde.

— Ah, ah ! triomphe-t-elle, le lion s'attendrit. Voyons ce que vous désirez…

— Gertrude, en mémoire de moi, promettez-moi d'aller consulter un psychiatre !

Elle pousse un épouvantable juron et me gifle à deux reprises.

— Vous êtes un…, commence-t-elle.

— Je sais, interromps-je. C'est de naissance…

Elle sort en faisant claquer ses talons sur le ciment.

Les soldats radinent, me délient et me grimpent à ma cuisine pour que j'y attende l'heure de ce que les journaleux ont baptisé le « châtiment suprême ».

Je m'affale sur le carrelage, la téterre pleine

de sons de cloche. Je pousse un cri, en tombant, quelque chose m'a meurtri la hanche. Je regarde le sol, il n'y a rien. Je mets la main à ma poche, je sais pourtant que je ne puis rien y découvrir car j'ai été fouillé de fond en comble et on ne m'a pas laissé un bouton de col.

Je tire un couteau. Une superbe lame à cran d'arrêt. D'où qu'il sort celui-là ? C'est le petit Jésus qui me l'a glissé dans le sac à morlingue ou bien le père Noël ?

Je le regarde d'un œil rêveur.

Ça ne serait pas plutôt la môme Gretta ?

DEUXIÈME PARTIE

FRANCO DE PORT

CHAPITRE V

Personne n'a jamais gagné la guerre avec un couteau, fût-ce un couteau à cran d'arrêt. Dans ma situation, cette lame m'est à peu près aussi utile qu'une boîte de bouillon Kub.

Une lame contre une compagnie d'Allemands en armes, c'est lerche, vous en conviendrez.

Plus j'y songe, plus je comprends que c'est la blonde Gretta qui m'a glissé le couteau dans la poche. J'aurais préféré une mitrailleuse jumelée, mais à cheval donné, on ne doit pas regarder les dents, comme se tue à me le répéter Félicie. Gretta doit avoir de la sympathie pour moi. Elle a voulu faire un petit quelque chose et, tandis que l'autre bouillaveuse lui ordonnait de m'embrasser, elle m'a fait ce petit cadeau. C'est gentil… Ceci vous prouve qu'y a des gonzesses qui ont de l'éducation ; et puis, bien que ce gentil couteau manque d'efficacité, dans mon cas il est plus appréciable qu'une entrée au salon de l'Auto…

Je peux toujours le planter dans la viande d'un

des factionnaires, histoire de l'utiliser avant de faire le grand voyage...

Le sang coule de mon visage. Je m'en barbouille les mains, puis j'ouvre le couteau et le glisse dans l'échancrure de ma chemise, la pointe reposant entre ma ceinture et mon ventre. Je vais à la porte et j'y balanstique des coups de pied qui ébranlent toute la maison, comme si un quatuor d'éléphants était en train d'y faire une partouze.

Un des gardiens ouvre, la mine courroucée, sa mitraillette sous le bras.

Je porte mes mains rouges de sang à ma bouche et je réussis un superbe hoquet. Le type croit que j'ai une hémorragie. Très intéressé, il s'approche de moi et me regarde.

Was ? fait-il.

Je me casse en deux, comme si une douleur extrême me terrassait, en réalité ce mouvement me permet de saisir le couteau sans être remarqué. Prompt comme l'éclair, je le dégaine et fonce d'un bond terrible sur le soldat, la lame en avant.

Le cure-dent, c'est pas mon genre de beauté. Mais je n'ai pas le choix. Je sens que la pointe troue le drap de son uniforme et entre dans sa poitrine comme dans du beurre.

J'ai eu du pot de ne pas buter sur une côte. Le gnace pousse un gémissement de vieux pneu victime de la hernie qu'il trimbale depuis un bout de chemin.

Il titube, ouvre la bouche et s'abat en avant.

Je le chope dans mes brandillons pour amortir

le bruit de sa chute et je le dépose doucettement sur le carrelage. Puis je prends sa mitraillette.

C'est rudement bon de tenir ce bébé d'acier dans ses bras. A pas de loup, je m'approche du couloir où je coule un œil scrutateur. Pour comble de veine, mon second gardien n'est pas là ; je ne sais pas s'il est allé aux fraises ou quoi, mais je crois qu'il va faire une trompette maison quand il va trouver son copain perforé.

Je m'engage dans le large vestibule. Personne n'est en vue pour l'instant ; j'entends, venant d'une pièce voisine, le clapotement d'une machine à écrire. C'est le moment d'arrêter l'orchestre et de faire le saut de la mort. La mitraillette sous le bras, le doigt posé sur la détente de l'arme, je m'avance dans la boîte comme si je marchais dans un panier d'œufs. Le canif de Gretta a fait des petits, vous le voyez ? C'est l'histoire de Perrette et de son pot de crémeux. Seulement, si je laisse choir la jatte, je ne risque pas un coup de tatane dans le prose, comme la petite fermière. Non, ce sera beaucoup plus brutal comme exercice.

J'arrive à la porte vitrée et j'ai juste le temps de me jeter en arrière. Deux officiers discutent sur le perron.

Au bout de l'allée, près du portail, il y a deux sentinelles. L'issue ne vaut pas grand-chose pour bibi.

Je bats précipitamment en retraite et retraverse le couloir. J'ai remarqué une porte juste à côté de celle de ma cuisine ; elle donne vraisemblablement sur les communs, peut-être y a-t-il plus d'espoir de ce côté-ci ?

Je la pousse et je me trouve nez à nez avec la seconde sentinelle qui se pointe en boutonnant sa braguette.

Il est plus surpris que moi, car il s'attend à rencontrer n'importe qui, y compris Adolf Hitler, plutôt que le gars San-A.

Je ne puis me servir de la mitraillette sans risquer d'alerter toute la garnison. Aussi je lui fonce dans le lard tête première. Mon rush l'envoie dinguer les quatre fers en l'air. Sans lui laisser le temps de se remettre sur ses tiges, je lui place un de ces coups de savate dans le bocal qui pulvériserait une borne kilométrique. Il ne profère pas un mot et se ratatine sur le plancher. Prompto, je repousse la lourde. A tout hasard je lui pique aussi sa péteuse ; quand je vous disais que c'était, transposée, l'histoire de Perrette... Si ça continue, je vais avoir tellement de seringues que je pourrai ouvrir un magasin. Comme enseigne, je verrais assez quelque chose dans le genre de « A la sulfateuse »...

Je me trouve dans un vaste local qui doit servir de salle de garde. Il y a des tables de bois blanc, des chaises, des portemanteaux... A l'autre bout, une porte-fenêtre donne sur un parc où des soldats verts font la manœuvre.

Je suis coincé dans cette cambuse comme dans un piège à rat. D'une minute à l'autre, l'alerte va être donnée ; vous parlez d'une corrida, mon neveu! Ce que je voudrais être transformé en courant d'air…

Comme rester debout, les bras ballants, n'a jamais tiré un pauvre mec d'embarras, j'ouvre une autre porte. Elle ne peut guère me donner la clé des champs car c'est celle d'un petit réduit où sont entreposées des caisses. Je la referme avec humeur et mon regard est alors – et alors seulement – attiré par un écriteau fixé à la porte. Comme je ne connais pas l'allemand, je suis bien en peine de savoir ce qu'il bonnit. Pourtant, à bien le regarder, j'ai l'impression d'avoir vu des avis de ce genre dans les trains.

« Ne pas fumer! » Ça y est… J'y suis.

Pourquoi ne pas fumer? Parce qu'il y a dans le secteur des denrées inflammables ou, qui sait, explosives?

A la réflexion, ces caisses du réduit sont fort susceptibles de renfermer des grenades ou des balles. Mais la voilà, la troisième issue! Je cours au soldat que je viens de sonner. Il est toujours dans la vapeur et il est probable qu'il y restera jusqu'au jugement dernier.

Je lui fais les fouilles et je trouve ce que je cherche : une boîte d'allumettes.

Je déchire son pan de chemise et roule dedans l'écriteau. J'y mets le feu et je jette ce tampon enflammé sur la première des caisses. Reste à souhaiter qu'il dégagera suffisamment de chaleur pour faire exploser quelque chose, alors on peut être tranquille, tout sautera. Les essais dans le domaine de l'artifice m'ont assez bien réussi jusqu'à présent, y a pas de raison pour que ça change…

Je n'attends pas que l'effet sur lequel je compte se produise, je rebrousse chemin une fois encore et m'engage dans l'escalier de la cave.

Je n'ai pas descendu quatre marches qu'une détonation sèche retentit, aussitôt suivie d'un chapelet d'autres. La pétarade s'intensifie. Je dégringole le reste des marches. Je tourne à droite de l'escalier où est pratiqué une espèce de renfoncement, et je m'acagnarde dans l'angle du mur. C'est ce qui s'appelle avoir de l'initiative… La construction se met à trembler. On dirait qu'un des typhons de la Jamaïque s'est déclenché dans la taule. Ça chahute vachement dans le secteur ; il y a des explosions qui n'en finissent pas, des secousses, des grondements, des cascades de pierres…

Tout à coup, je pense à la petite Gretta. Si elle y laissait ses os, ce serait par trop injuste, car, en somme, c'est grâce à elle si j'ai pu arriver à ça !

Les explosions continuent un bon moment encore ; puis c'est une sorte de calme relatif, coupé de temps à autre de brèves pétarades…

Je remonte les degrés de la cave. Il n'y a plus de porte et, lorsqu'on y regarde d'un peu plus près, presque plus de maison. On a l'impression qu'un avion est dégringolé dessus. Elle est intacte d'un côté et toute dentelée de l'autre. On entend des cris, des gémissements, des appels… Et, dans le lointain, la corne des pompiers. Ils ne sont pas bileux, ceux de Bourgoin, ou alors ils savent que c'est chez les sulfatés qu'il y a de la casse et ils cirent leurs godasses avant de décambuter.

J'aperçois des bottes dépassant de sous un monticule de gravats. Je tire dessus et je me retrouve avec le cadavre de mon second zèbre, le pourvoyeur en allumettes... Cette fois, il est drôlement achevé, l'ami Fritz ! Ah, je te jure...

Je lui quitte ses bottes et son bénard, puis sa veste. Heureusement qu'il est encore chaud. Moi, quand je travaille dans le cadavre, j'aime m'expliquer avec du malléable...

En un tournemain, je passe ses fringues et enfile ses bottes. Les pataugeuses sont deux fois trop grandes et je pourrais recevoir du monde dedans, j'ai un peu l'air d'aller à la pêche, mais de toute façon je ne suis pas invité à déjeuner chez le duc de Windsor.

Je cherche le casque ; je le trouve un peu plus loin. Il est plus cabossé qu'une voiture d'auto-école ; par veine, il est à ma pointure. Me voici donc déguisé en frizou ; avec ma gueule barbouillée de raisiné et de poussière, et surtout grâce à la confusion qui règne dans les environs, je n'ai pas besoin de me faire une entorse au cerveau : ils ne me reconnaîtront pas, mes petits camarades de la gestapette.

Je pose l'une des deux mitraillettes après avoir eu soin de glisser son chargeur dans ma poche ; puis, en rampant, je sors de cette partie des bâtiments.

J'arrive dans le hall; vous parlez d'un va-et-vient!

Ça remue et ça discute, pardon... Des soldats blessés par la déflagration cavalent en jaspinant. De la façon dont ils s'expriment et compte tenu de la rudesse de la langue allemande, c'est sûrement des jurons qu'ils sont en train de débiter... Des officiers sortent, chargés de paperasses... En levant la tête, j'aperçois un gros nuage noir à la place du plafond, le feu, ce feu indécis provoqué par les explosifs couve quelque part et l'équipe d'étripeurs, tel un campement de fourmis dérangées, se hâte d'évacuer les dossiers.

J'aperçois le major. Il a toujours son carreau dans l'œil et il lance des indications de sa voix calme et sévère. Gertrude passe en courant, comme une folle, une serviette de cuir rouge sous le bras.

Ce que je savoure cet instant, non, c'est rien de le dire... Pour un peu, je demanderais au bistrot le plus proche de venir me servir un verre de bière dans ce bouzin, car ces émotions m'ont foutu une telle pépie que je boirais le contenu d'un aquarium, poissons rouges inclus...

Mais je dois songer à une chose plus importante que mon gosier, c'est-à-dire à ma gentille petite peau. De la façon dont ça se goupille, je crois que ça n'est pas encore aujourd'hui qu'elle servira à fabriquer des blagues à tabac.

Je fonce sur un paquet de papelards qu'un soldat a laissé tomber et je me mets à suivre le premier

Fritz gradé qui passe. L'un suivant l'autre, nous sortons de la propriété. Il y a une voiture militaire devant la grille et c'est dans cette calèche que ces tordus empilent leurs archives. L'officier qui me précède dépose sa brassée de dossiers, je l'imite. Il se tourne alors vers moi et me balanstique une phrase brève mais énergique ; en guise de réponse je me mets au garde-à-vous. Je n'ai absolument rien entravé à ce qu'il m'a dit, mais le chauffeur de la voiture vient en temps opportun éclairer ma lanterne. Il ouvre la portière avant et, d'un geste, m'invite à prendre place. Je réalise alors que l'officier vient de me commander de convoyer le chargement de papelards.

Le chauffeur démarre vivement ; je laisse flotter les rubans, et, comme dit l'autre, « tant pis si la feuille se décolle ». Seulement, l'inévitable se produit, mon compagnon se met à me balanstiquer dans les manettes une vraie tirade. Je me demande comment ils font, les Allemands, pour débiter des phrases aussi longues sans reprendre leur souffle ; si je parlais leur langue – chose que je n'envisage pas, du reste – je commencerais par faire des exercices respiratoires…

Je regarde le collègue d'un air bourru.

C'est un type entre deux âges, rouquin et rougeaud, dont la figure est aussi expressive qu'un fromage de Hollande.

J'articule quelques sons gutturaux, du fond de ma gorge, en lui montrant mon cou. Comme je suis couvert de sang, il fait signe qu'il comprend et il continue son baratin sans se presser. Lui, c'est le genre bavard intarissable. Il s'écoute parler et ça le ravit. Il se charme tout seul ; un onaniste du verbe. Pourvu que je lui adresse, de temps à autre, un petit hochement de caberlot entendu, il est content, ce schpountz.

Au début, j'ai cru que nous allions simplement dans un autre coin de Bourgoin, mais je m'aperçois que nous quittons la petite cité pour foncer sur la route de Lyon.

Où peut-il bien aller, Bonne-Bouille ?

Les kilomètres s'additionnent sur le cadran. Je constate que c'est décidément bien à Lyon que nous allons. Nous traversons des petits bleds : La Grive, la Verpillère, puis la route devient droite comme une portée de musique à travers une morne plaine, plus morne et plus plaine encore que la morne plaine de Waterloo, lieu où fut consacré l'un des mots les plus expressifs de la langue française.

Sans aucun doute, nous nous rendons à la Gestapo de Lyon pour y déposer tous ces documents. Je ne peux pas m'empêcher de penser avec une pointe de mélancolie que ces paperasses seraient mieux en sûreté encore à Londres. Le major Parkings se régalerait. Seulement, Londres est assez éloigné d'ici, et c'est plutôt coton pour y aller en week-end.

Voilà cette pensée qui me tourneboule sous la rotonde. Vous commencez certainement à me connaître, depuis le temps que nous nous fréquentons, vous devez par conséquent savoir que lorsque j'ai amorcé une idée, on ne peut pas me l'extraire facilement du crâne… Je caresse mon rêve et le voilà qui se met à frétiller de la queue comme un bon toutou. Parkings m'a donné l'adresse d'un correspondant de Lyon. Il m'a dit que, en cas de pépin, je pouvais faire appel à lui sans crainte. Ce serait peut-être le moment de le contacter, le mec, non ?

Ma décision est vite prise, mon plan d'action vite dressé.

La route est rigoureusement déserte devant et derrière nous. Le soleil cogne comme un sourd, c'est midi et les populations sont en train de morfiler leur portion de rutabagas…

Je pose la main sur le bras de Bonne-Bouille.

Il s'arrête de jacter et me considère d'un air interrogateur.

Je me caresse le ventre d'un geste significatif. Il stoppe en bordure d'une haie. Toutes réflexions faites, il descend pour pisser. Juste comme il vient de contourner la voiture, je lève le canon de ma mitraillette et je lui ajuste une balle, une seule, dans la calebasse. Le procédé n'est pas tellement élégant, je sais bien, mais, comme disait le père Clemenceau : je fais la guerre. Et, écoutez bien ce que je vous dis : la guerre se fait à coups de saloperies.

Bonne-Bouille fait une cabriole dans le fossé ; en voilà un qui n'aura jamais su ce qui lui est arrivé. Notez que cette tombée de rideau est préférable à celles qui se font dans les chambres closes de la Gestapo.

Je coltine le corps derrière la haie et je prends place au volant.

En route !

Je ne sais pas trop sur quel terrain je m'engage, mais j'y vais de bon cœur.

*
* *

Lyon !

Je traverse la banlieue de Bron, puis je fonce sur une avenue rectiligne qui conduit droit au centre de la ville.

Ça fait un bout de temps que je ne suis pas venu dans ce patelin. La dernière fois, c'était pour arroser l'avancement de mon collègue Riffet et on avait ramassé une malle qu'un régiment de déménageurs n'aurait pu décoller de par terre.

Je palpe les fouilles de mon uniforme dans l'espoir d'y dénicher un peu de fric. Effectivement, je découvre quelques marks dans un portelasagne et deux billets de cent balles. Il n'était pas aux as, le copain… Il avait, faut dire, peut-être croqué sa pagouze avec une souris. Y a une équipe de délurées dans les bonnes femmes, qui savent s'expliquer avec les fafiots de l'occupant. C'est une sorte de récupération, quoi !

Je stoppe devant le bistrot et, avant d'entrer, j'arnouche un bon coup pour vérifier qu'il ne s'y trouve pas de sulfatés. J'aurais bonne mine si l'un d'eux m'adressait la parole. Je ne peux pas jouer au muet jusqu'à perpette.

Mais non, il n'y a personne... Du moins pas d'uniformes.

J'entre et vais droit au comptoir où le patron, une énorme enflure, rince les verres.

Il écarquille les châsses en me voyant, fait des courbettes et, la bouche en chemin d'œuf, se met à me demander ce que je veux boire dans un allemand petit nègre qui ferait rigoler un tonneau de choucroute.

— Vous êtes français ? je demande.

Il me répond que oui, d'un air contrit.

— Alors parlez français, je lui dis, c'est la plus belle langue que je connaisse.

Les consommateurs présents se détournent pour rire ; le patron se renfrogne.

— Un grand beaujolais, fais-je.

Pas de vin, bougonne-t-il.

Je pousse un rugissement qui humilierait le lion de la Métro Goldwyn.

— A Lyon ! Pas de vin ! Non, mais, vous me prenez pour l'idiot de mon village, petit père...

Il jette des regards éperdus autour de lui.

— Mais... le contrôle économique, bégaie-t-il.

— Ne me racontez pas votre vie, patron, et servez-moi du chouette. On peut téléphoner ?

Du menton, il me désigne la cabine téléphonique, dans l'arrière-salle.

J'y vais après m'être expédié un coup de rouge.

Voyons, Parkings m'avait fait apprendre par cœur le numéro de téléphone du correspondant. Je fais un effort de mémoire ; avec tous ces récents événements, il y a un peu de brouillard dans mon grenier. Je ferme les yeux et me concentre comme l'athlète qui s'apprête à faire un saut de trente mètres. Le central est un nom américain, oui, je me rappelle : Franklin. Pour les chiffres c'était… Voilà, c'était neuf fois huit entre deux huit, soit 87-28.

Je compose ce numéro.

Une voix d'homme dit :

— Allô !

— Monsieur Stéphane ?

— Oui, qui est à l'appareil ?

— Bons baisers, je réponds.

Un court silence, et la voix dit :

— A bientôt !

Tout est aux pommes, nous avons échangé les phrases de reconnaissance.

— Puis-je vous rencontrer ?

— Facile, arrivez, je tiens un bistrot sur la route de Francheville.

Voilà qui n'est pas fait pour me déplaire. Il choisit bien ses correspondants, Parkings.

— Vous ne vous frapperez pas, je suis habillé en vert-de-gris…

La voix se fait gouailleuse.

— J'en ai déjà vu quelque part.

— Parfait… On peut remiser une voiture dans un endroit sûr ? Une voiture avec un chargement intéressant ?

— Amenez-vous, nous aviserons.

Il me donne son adresse et raccroche.

Je quitte la cabine pour le comptoir.

— Remettez-moi ça, patron.

Le café de M. Stéphane, c'est plutôt une auberge perdue dans la banlieue coquette. Il y a de la verdure, des jeux de boules, des tonnelles, beaucoup de soleil et des poules qui picorent sous les tables de la salle commune.

Il est seul dans son bistrot lorsque j'apparais. C'est un homme d'une cinquantaine d'années portant beau. Il a une bouille d'empereur romain. Remarquez que je n'ai jamais eu d'empereur romain dans mes relations et que je n'en ai jamais rencontré non plus chez mon buraliste habituel, mais je suppose qu'ils devaient avoir la physionomie de Stéphane, les empereurs romains.

Il me regarde entrer d'un air neutre.

— Monsieur Stéphane ?

— Oui.

— Bons baisers…

— A bientôt…

Et il me tend sa main.

— C'est la première fois que j'en serre cinq à un Allemand, dit-il.

— Je ne suis allemand qu'accessoirement…

— Je m'en doute.

— J'aurais plutôt tendance à être français, ajouté-je.

Il rit. Puis se fait grave.

— Vous êtes blessé ?

— Des coups de cravache, pour le bas : quant au sommet, c'est une courroie qui m'a un peu entamé la perruque. Je viens de Bourgoin et…

Il pousse une exclamation.

— De Bourgoin ! Vous êtes mêlé au truc qui s'est passé ce matin ?

Je me laisse tomber sur une chaise.

— Les trucs qui se passent à Bourgoin depuis deux jours sont de moi.

— Pas possible ! Vous êtes le Diable !

— Pour eux, assez, oui. Mais j'en ai plein les pieds. Je voudrais casser une croûte et me reposer un peu, c'est possible ?

— Pardine.

Je lui raconte mon odyssée. Il m'écoute avec l'intérêt que vous pensez.

— J'ai apporté le chargement de documents, conclus-je, ça peut offrir un certain intérêt, vous avez la possibilité d'expédier tout ça, à Londres ?

— Beu…

Je réfléchis cinq secondes.

— Cette nuit, un avion doit venir me prendre

dans un champ, du côté de Crémieux, vous ne pourriez pas lui porter les colibards ?

— Si, fait Stéphane ; je vais alerter mon équipe. Nous irons ensemble jusqu'au lieu d'envol, ou bien préférez-vous que nous nous y rendions séparément ?

— Vous irez seul, dis-je, je ne pars pas...

— Vous ne partez pas ?

— Non, on m'a envoyé en France pour y accomplir une mission précise. La fatalité a voulu que je fasse un tas de travaux certainement très utiles, mais pas celui qui m'était commandé, je reste pour l'exécution de ma mission.

— Ce n'est pas prudent ; après un cirque pareil, vous devez être salement repéré...

— Sans doute, mais plus la partie est périlleuse, plus la victoire est belle.

Il hoche la tête.

— Comme vous voudrez, murmure-t-il. Comme vous voudrez, San-Antonio. Je vous apporterai toute l'aide qui est en mon pouvoir.

— Merci.

— Bon. Pour commencer, il s'agit de garer cette voiture. Elle est un peu voyante... Et vous aussi, du reste.

Il passe dans son arrière-boutique et revient en brandissant une clé grosse comme ma jambe.

— Vous allez filer d'ici, car si l'on ne vous voyait pas ressortir, on trouverait ça suspect et je risquerais d'avoir des ennuis. C'est pourri de mouches dans le coin ! Vous allez rouler en direction de

Francheville, à la station de trolleybus il y a un carrefour, tournez à gauche, la route conduit à une grande construction. C'est un séminaire. Une partie est occupée par les Allemands. C'est là que se tient le poste de brouillage.

« Avant d'arriver à la grille du séminaire, vous verrez un petit chemin sur la gauche, suivez-le. Il aboutit à un hangar couvert de tôle ondulée. Le hangar m'appartient. En voici la clé. Vous rentrerez la voiture et vous m'attendrez. Il y a des couvertures dans un coin, vous pourrez en écraser un peu. Au crépuscule, j'irai vous chercher, je vous porterai des vêtements civils…

« Attendez ! »

Il décroche une musette pendue à un clou, derrière la porte et ouvre son frigo. Il y colle une bouteille de Pouilly, un morceau de cochon gros comme un ballon de rugby, un pain, un quartier de gruyère et des fruits.

— Ça vous fera prendre patience…

— Merci…

C'est un frère, cet empereur romain-là !

Je n'ai aucune difficulté pour dénicher le hangar. Il se dresse au bord du ravin, loin de tout. Le coin est tranquille, j'ai croisé en venant des Frisés et des curés, mais ni les uns ni les autres n'ont prêté la moindre attention à la voiture militaire que je pilote (avec un rare brio).

J'ouvre la porte du hangar et je rentre mon carrosse. Puis je vais fermer le vantail et je pousse un soupir si profond que, à Marseille, il passerait pour une bourrasque.

Vais-je enfin pouvoir respirer un instant ? C'est pas une sinécure que d'être agent secret, moi, je vous le dis.

J'attrape la musette au combustible et je cherche les couvrantes dont a parlé Stéphane.

Je les trouve, sur une brouette. Ouf ! Ce qu'il fait bon s'asseoir.

Brusquement je sursaute et j'empoigne ma mitraillette. Je viens de voir remuer la bâche à l'arrière de ma voiture.

CHAPITRE VI

Au cinéma, dans tous les films policiers à la mords-moi les tifs, y a un type qui biche les chocottes because il voit remuer un rideau ou un truc de ce genre, et c'est toujours un matou qui, total, faisait bouger la tenture. Ici, c'est pas du même. S'il y avait eu un greffier dans la calèche, il se serait tout de même manifesté depuis Bourgoin…

Le doigt sur la détente, j'attends. Une main soulève la bâche ; hypnotisé je la regarde, et je constate que c'est une main fine, lisse comme du chevreau ; bref, une main de gonzesse.

Voilà la môme Gretta qui apparaît.

Une girafe qui va aux fraises n'est pas plus ahurie que moi. Je la regarde avec des châsses du format soucoupes.

Elle me sourit gentiment, regarde autour d'elle d'un air surpris et murmure :

— Où sommes-nous ?

— Au palais des mirages, je lui fais, d'où sortez-vous ?

— Vous le voyez, de là-dedans.

Voyant que ma surprise est tenace, elle m'explique :

— Je vous ai vu sortir de la villa après l'explosion, je vous ai suivi. J'ai vu que vous preniez place dans une voiture et j'ai couru après, j'ai eu le temps de sauter dedans juste comme elle démarrait.

— Pourquoi avez-vous fait cela ?

— Parce que je me doutais bien qu'avec vous à bord, l'auto n'irait pas au lieu de destination qui lui était assigné.

Elle me regarde, ses yeux bleus ont un je ne sais quoi d'admiratif et d'anxieux à la fois.

— Et je ne me suis pas trompée. J'ai entendu la détonation en route…

« Vous avez tué le chauffeur, n'est-ce pas ?

— Un peu, oui…

On est là à se branler les cloches en se reluquant d'un air indécis.

— Pourquoi avez-vous faussé compagnie à vos compagnons ? Et d'abord, pourquoi avez-vous glissé le couteau dans ma poche ?

— Parce que, dit-elle, c'est moi la mystérieuse femme au sujet de laquelle vous avez été malmené. Je suis polonaise et je fais partie du réseau Troïka.

Je pousse une exclamation :

— Oh, crotte arabe ! Vous êtes une fortiche, Gretta. Comment vous les avez possédés, les sulfatés ! Ainsi c'est vous qui obteniez les renseignements ?

— La plupart du temps, oui. Mais je servais surtout de relais entre notre groupe d'Italie du Nord et notre centre de Lyon, je travaillais avec les deux hommes à la mort desquels vous avez assisté. L'autre soir, j'ai su que Nicolas était guetté sur la route, avec ses tortues ; je n'ai pu, malheureusement, le prévenir à temps…

Je réfléchis.

— Alors vous allez pouvoir m'éclairer sur le bouzin de Bourgoin. Qu'est-ce que c'est que cette histoire de bombe téléguidée ?

— Un grand mystère, murmura-t-elle. L'information est arrivée à notre radio – le malheureux qui a été tué par l'explosion de la gare – et il voulait la faire parvenir à ceux de Lyon pour qu'ils préviennent Londres, car nous sommes « cellulés »…

— Je sais tout ça, coupé-je, il m'a affranchi.

— Mais il s'est produit quelque chose, dit Gretta d'une voix sourde.

— Quelque chose ?

Elle pèse bien ses mots.

— Les wagons que vous avez fait sauter étaient vides…

Je fais un saut de dix mètres quatre-vingts.

— Hein ?

— Vides…

— Voyons, fais-je, ça n'est pas sérieux…

— C'était un piège, j'ai appris cela incidemment en surprenant ce matin une conversation entre von Gleiss auquel je servais de secrétaire et Gertrude

Kurt. Ils avaient appris – comment ? je l'ignore – que l'information concernant le départ d'Italie du train spécial, via Lyon, avec arrêt de deux heures à Bourgoin, avait été transmise à notre réseau. Von Gleiss en a référé à ses supérieurs, il a été décidé que les wagons voyageraient à vide et que leur contenu serait dirigé vers sa destination par un autre mode de transport. Ils voulaient, ainsi, parer à toute surprise…

— Les vaches !

Avoir risqué sa peau, avoir bousillé de pauvres mecs pour des clous, vous avouerez que c'est rageant.

Ils m'ont eu, les frizous. Ils m'ont vachement pris pour un branque ! Si je tenais le von Dugland, je lui ferais bouffer son monocle et je lui arracherais les châsses avec un crochet à bottines…

— Bon, fais-je après un long silence que je mets à profit pour ravaler mon coup de sang, et alors, Gretta, pour quelle raison avez-vous quitté votre poste ? Vous étiez aux premières loges, dans le bureau de von Truc…

— Ça se gâtait pour moi, affirme-t-elle.

— Vous croyez ?

— J'en suis certaine. Gertrude et von Gleiss avaient changé de pièce pour parler. Gertrude, après l'entretien, a ouvert brusquement la porte… J'étais derrière, j'ai fait mine de ramasser des papiers que j'avais jetés à terre pour me servir d'alibi, mais je ne crois pas qu'elle ait été dupe. La preuve c'est qu'elle m'a ordonné de descendre avec elle à la cave pour vous interroger. Cela ne lui ressemble pas. Et comme la scène de…

Elle devient un peu plus rouge qu'un coquelicot.

— La scène de quoi ?

— De… du baiser… Vous n'avez pas senti que c'était une sorte de provocation ?

— Peut-être bien, admets-je, oui, en effet, maintenant que vous m'y faites songer…

Je lui attrape une aile.

— Conclusion, primo, vous avez bien fait de partir ; deuxio, ils m'ont eu ; troisio, je les ai eus en leur foutant leur fourmilière en l'air…

— Comment ! s'exclame-t-elle, c'est vous qui… l'explosion ?

— L'explosion, c'est moi ! je fais. Une explosion, c'est presque toujours moi. Lorsqu'il y a du foin quelque part, vous pouvez parier le dôme des Invalides contre une chique de tabac que San-Antonio a ramené sa cerise dans le coin.

— Mais comment avez-vous fait ?

— Je vais vous raconter ça, Gretta ; auparavant, on va morfiler le contenu de cette musette. Je ne sais pas si vous avez les mêmes réactions que le gars Bibi, mais les aventures, ça creuse…

Je l'entraîne dans l'angle de l'entrepôt où sont jetées les couvertures du pote Stéphane. J'ouvre la bouteille de vin blanc et, sans plus de chichis, nous nous mettons à faire la dînette, Gretta et moi. C'est moins rupinos que le Petit Trianon, mais je donnerais pas ma gâchouse contre celle de Tino Rossi.

On croque tout en bavardant. C'est reposant comme une partie de manille.

— Dites, je fais à Gretta, ça vous a déplu, ce matin, la fameuse séance de bécots ?

Elle redevient écarlate. Cette souris, je vous l'affirme, est émotive comme une langouste qu'on plonge dans l'eau bouillante.

— Hein ? insisté-je, vous m'en voulez ?

— Ça n'était pas votre faute, dit-elle d'une petite voix chavirée par la timidité.

— Non...

J'allonge la main et je lui caresse doucement la joue, à cet endroit, près de l'oreille, où les gonzesses ont des petits cheveux fous.

— Et si ç'avait été ma faute, vous m'en auriez voulu ?

— Je ne crois pas, soupire-t-elle.

Elle est chouïa, cette greluse. Je me lèverais la nuit pour en manger, parole !

— Voyez-vous, petite Gretta, je me sens plein d'indulgence pour Gertrude, malgré ses coups de nerf de bœuf.

— Ah ! s'indigne-t-elle, et pourquoi ?

— Parce qu'elle m'a permis de goûter vos lèvres. Vous savez à quoi elles sont, vos lèvres ?

Elle secoue sa tête blonde.

— A la framboise, je lui dis. Elles sont douces avec un petit goût de fruit sauvage...

Surtout rigolez pas, les aminches. Le premier qui se fend la pipe, j'y mets un ramponneau au plexus. Enfin, bon Dieu, quoi ! Ça ne vous est jamais arrivé à vous de débigocher des conneries à une poupée ?

Me faites pas croire un truc pareil, ou alors je vous prendrais pour ce que vous n'êtes pas, c'est-à-dire pour ces petits messieurs à qui pour demander l'heure on dit : « Quelle heure est-elle ? »

Bref, comme je suis au repos, je fais un doigt de cour à Gretta. Ça vaut mieux que de peigner la girafe, et puis d'abord il n'y a pas d'hésitation à avoir, car je n'ai pas de girafe sous la main, et même si j'en avais une, il n'existe pas d'échelle dans le hangar, alors !

Je lui demande la permission de l'embrasser. Elle me dit que non.

Elle me fait tellement d'effet que même si elle avait dit oui je l'aurais embrassée.

Je lui fais un de ces cours de langue vivante tel que si je prenais des inscriptions je serais obligé d'embaucher du personnel.

Son corsage est aussi garni qu'une corbeille de mariage dans la bonne société. J'y mets la main, elle laisse agir. Ce qui vous prouve que la timidité d'une donzelle a toujours des limites ; le tout, c'est d'avoir de la patience et d'être diplomate. La femme la plus rébarbative, la plus honnête, la plus rude, se laissera faire la « bête qui monte, qui monte » si on sait lui demander gentiment la permission.

Pour tout vous dire, on ne s'embête pas. Le Stéphane c'est vraiment un zig à la hauteur ; avoir entreposé des couvertures ici, c'est comme qui dirait un trait de génie. Et qui rend, à mon humble avis, autant de services à la pauvre humanité que le vaccin contre la variole.

Gretta, c'est pas une championne du coup de reins : non, dans un sens c'est mieux que ça ; c'est de la gerce qu'a des dispositions naturelles.

J'aime autant vous dire que le temps ne nous dure pas. Il me semble que je viens tout juste d'arriver lorsque Stéphane radine.

*
* *

Il fait une drôle de trompette, l'empereur romain, lorsqu'il m'aperçoit en compagnie d'une dame. Il ne sait quelle attitude adopter, d'autant qu'elle est également en uniforme.

Je fais les présentations. Son visage s'éclaire comme les vitrines de Noël du Printemps.

Je passe les fringues qu'il m'a apportées. Pour Gretta, elle n'a qu'à quitter sa veste et ôter ses bas gris, elle sera de la sorte en civil.

— Beau boulot que vous avez réussi à Bourgoin ! dit-il.

« Vous savez, c'était rudement important comme matériel, ce que transportaient les wagons. Ces messieurs eux-mêmes l'avouent, c'est sur le journal. »

Il me tend la feuille du soir. Je lis le papier suivant :

TERRIBLE ATTENTAT EN GARE
DE BOURGOIN

« *Hier après-midi, un groupe de terroristes a fait sauter un train de marchandises sur une voie de garage, à Bourgoin (Isère), tandis qu'on changeait la locomotive. Ce convoi, venant d'Italie, transportait le prototype d'une arme secrète construite en Italie et qui était destinée par la Wehrmacht à la base aérienne de Toulouse. L'attentat a causé la mort de huit personnes, dont sept soldats allemands. Le chef des terroristes, arrêté peu après, est mort dans l'explosion d'un petit dépôt de munitions stockées près de la pièce où il était détenu en attendant son exécution... »*

Suit toute une ribambelle de salades sur ce geste odieux ; sur la répression de ces bandits à la solde de l'Angleterre, etc.

Je tends la feuille à Stéphane.

— Oui, conviens-je, c'était important. Important au point que, l'attentat étant négatif, les Allemands, qui pourtant soignent leur propagande, préfèrent laisser croire qu'il a été positif.

Je lui fais part des révélations de Gretta.

— Qu'est-ce que tout cela peut bien vouloir dire ?

— Que la plus grosse partie reste à jouer pour nous.

« Vous vous êtes arrangé avec votre équipe pour porter les paperasses à l'avion ? »

— Tout est O.K. ; j'ai confié à Barthélemy, un professeur de langues, le soin de grouper un peu les papiers. Il sera là d'une minute à l'autre.

— C'est une bonne idée.

— Qu'allez-vous faire ? s'informe-t-il.

— Retourner à Bourgoin, comme je vous l'ai laissé entendre tout à l'heure.

— Vous n'y songez pas ! s'écrie Gretta, c'est de la folie ; la ville doit être en état d'alerte si on s'est aperçu que vous vous êtes enfui. D'autre part, ils doivent savoir à l'heure qu'il est que leur voiture de documents n'est pas arrivée à bon port et si, comme je le suppose, il y a là-dedans des papiers importants, ils vont remuer ciel et terre…

— Eh bien, ils remueront ce qu'ils voudront. J'ai un premier turbin en perspective : liquider Gertrude, cette fille empoisonne l'Intelligence Service depuis pas mal de temps, ce sera une bonne chose qu'elle avale son bulletin de naissance…

Ils essayent encore de me fléchir, mais lorsqu'une idée me tient, on aurait plus vite fait d'apprendre la pyrogravure à un tigre du Bengale que de m'en faire changer.

— Vous, Gretta, reprenez contact avec votre groupe de Lyon ; quant à vous, Stéphane, passez une radio à Parkings pour lui annoncer que je ne rentrerai pas ce soir, mais qu'il envoie néanmoins le zinc afin de rentrer les documents. Mettez-les au courant de cette histoire de bombe-radio; n'oubliez surtout pas de lui raconter le détail du faux train. Je vous jure que si nous parvenons à repérer le bon convoi, je le transformerai en feu d'artifice…

Barthélemy gratte à la porte du hangar. C'est un petit bonhomme au nez pointu, chaussé d'énormes lunettes d'écaille. Il est affligé d'un tas de tics et il ressemble à un rat.

Stéphane le met au courant du travail qu'il attend de lui.

— Vous comprenez, finit-il, en matière de conclusion, c'est assez périlleux de véhiculer des papiers de ce genre en ce moment, tâchons d'éviter au moins les paperasses inutiles. Faites un tas à part de tout ce qui n'offre manifestement aucun intérêt : factures, papelards intérieurs, etc. Nous les brûlerons. Le reste, empilez-le dans le tonneau que voici, il est truqué, on peut y fiche du pinard entre les doubles parois, et comme j'ai une licence de transport pour quelques hectos…

Pendant que le petit prof se met au turf, nous filons, à pinces, au bistrot de Stéphane.

La nuit est complète. Pas une lumière, le ciel lui-même adopte le couvre-feu, car il est bouché comme un garçon de ferme.

— Belle nuit pour le turbin, apprécie Stéphane.

Il ajoute :

— Vous allez prendre le train pour Bourgoin ?

— Oui…

— Vous avez tort, la gare de Perrache doit être surveillée comme une casserole de lait sur le feu. Nous ferons un crochet en allant à Crémieux et nous vous mettrons à une des stations de la ligne ; ce sera plus prudent, ça boume ?

— O.K.

— On pourrait vider une paire de « pots » en attendant l'heure du départ ?

— On pourrait…

Il y a chez l'empereur romain une arrière-salle aux pommes. Nous nous installons. Gretta contacte par fil son correspondant de Lyon, un autre Polak, si j'en juge au langage qu'elle utilise pour lui parler. Elle raccroche et se tourne vers moi.

— Notre réseau est mal en point, dit-elle, mon camarade me dit que les arrestations se multiplient. Il me conseille de me cacher en attendant.

Elle hausse les épaules :

— C'est facile à dire…

Stéphane intervient.

— La maison est grande, dit-il, si vous voulez rester ici, ne vous gênez pas…

Il a parlé d'un petit ton détaché, mais je ne m'y trompe pas ; Stéphane c'est un drôle de cavaleur qui préfère escalader une gerce bien gironde plutôt que l'Himalaya.

Moi, ça me fait marrer à l'intérieur.

— Acceptez, conseillé-je à Gretta, c'est la meilleure solution…

Faut vous dire que je ne suis pas jaloux. Une souris, c'est une souris, et faut être complètement déplafonné pour vouloir s'en annexer une. C'est en étant exclusif qu'on s'attire les pires ennuis.

Elle fait un signe affirmatif.

— Je vous remercie, murmure-t-elle.

On vide deux nouvelles bouteilles pour arroser ça. Puis Barthélemy arrive. Il dit qu'il en a terminé avec son triage, on a rudement bien fait de déblayer le terrain : sur tout le lot, ce qui peut présenter un intérêt quelconque peut tenir dans une serviette.

Stéphane qui jaspine un peu l'allemand parcourt ces papiers. Soudain, son attention est attirée par un télégramme daté de la veille.

— Tiens, marmonne-t-il, voilà qui me paraît avoir une corrélation avec votre histoire de wagons. Voulez-vous traduire ce télégramme, Barthélemy ? Je crains que mon allemand soit un peu défaillant.

Le petit rat à lunettes s'empare de la feuille.

— Ça vient de Milan, dit-il.

— Quel est le libellé ?

Il lit :

Matériel V 10 expédié suivant formule 2. Plans, système inchangé.

— Tout cela ne nous serait utile que si nous savions en quoi consiste cette formule et ce système, fais-je.

Je prends le menton de Gretta.

— Vous avez des tuyaux là-dessus ?

— Aucun, dit-elle, vous savez, j'étais simple dactylo et je m'occupais du secrétariat intérieur, les choses intéressant le haut état-major ne me sont jamais passées par les mains.

— Pensez-vous que Gertrude soit au courant ?

— Il me semble, oui.

— Parfait, je murmure, alors il va y avoir du sport !

CHAPITRE VII

Si Félicie était bousculée par le type qui descend à Bourgoin d'un omnibus déglingué, elle le traiterait de malotru et lui casserait son parapluie sur la hure sans se douter qu'il s'agit de son fils bien-aimé, le très respectable et très vigoureux San-Antonio.

Je me suis livré en effet, chez Stéphane, à une séance de maquillage qui ferait crever de rage Frégoli en personne.

Je porte des lunettes de myope qui me font des châsses de poisson exotique, j'ai les tempes grisonnantes et je suis coiffé d'une casquette de laine, ce qui offre l'avantage de dissimuler mon pansement. Tel que, avec mes fringues honnêtes mais de coupe modeste, j'ai l'air d'un brave Français moyen qui rentre chez lui pour prendre les informations et déplacer des petits drapeaux sur la carte de Russie.

J'ai une carte d'identité toute neuve sur laquelle

est écrit que mon blaze c'est Jean Leroy et que je suis chef magasinier dans une usine d'électricité.

Bref, je m'estime à peu près paré. D'autant plus que j'ai un superbe colt passé dans l'élastique de mon support-chaussette.

Stéphane, qui est le mec le plus démerdard qu'on ait jamais vu en circulation, a téléphoné à un de ses potes qui est coiffeur à Bourgoin, pour lui demander de m'héberger et l'autre, qui n'a rien à lui refuser, a accepté de grand cœur.

Son salon est dans la grand-rue. Il est évidemment fermé au moment où je débarque, car il est environ 10 heures du soir, mais je n'ai qu'à frapper trois petits coups à la lourde et on m'ouvre.

Le gars qui se tient devant moi a une blouse blanche, il frise la cinquantaine, ce qui ne me surprend pas de la part d'un pommadin; il a un commencement de calvitie, des dents en or sur le devant du pavage et un gentil sourire de mec qui biche la vie par les cheveux.

— Entrez, me dit-il.

Il me regarde comme on regarde n'importe quoi, sans curiosité, sans appétit. Mon aspect extérieur ne l'intéresse pas. J'aurais une tête de bois ou des sangsues comme boucles d'oreilles qu'il ne sourcillerait pas davantage.

Il m'introduit dans une salle à manger rustique.

— Voulez-vous manger ?

— Non, merci.

— Vous boirez bien un coup ?

— Plutôt deux.

Il ouvre un buffet et sort une bouteille de fine champagne. C'est un genre de lotion qui me botte.

Nous trinquons.

— Paraît-il qu'il y a du chambard dans votre coquette petite cité ? je demande.

Il hausse les épaules.

— Oh, oui… Les Allemands sont emmerdés par des résistants.

« Alors il y a de petites explosions de temps en temps… »

— On fusille des otages ?

— Comme partout, c'est la guerre.

Il a l'air de s'en foutre, qu'il y ait la guerre ou pas.

— Connaissez-vous le docteur Martin ?

— Oui. Un vieil ivrogne ?

— C'est ça. On m'a dit qu'il avait été emballé ces jours ?

— Il paraît, mais on l'a relâché.

J'ai un sursaut de joie. Ça c'est poil-poil, y a vraiment un Dieu pour les soûlauds !

Je réfléchis.

— J'aimerais le voir, seulement sa crèche doit être surveillée. J'ai idée qu'on l'a remis à l'air pour qu'il serve d'appât. Comment pourrais-je m'y prendre ? Vous avez une idée, vous ?

— Oui, dit-il paisiblement.

— J'écoute ?

— Mon gosse a les oreillons…

— C'est lui qui le soigne ?

— A partir de maintenant, oui.

Il tourne la petite manivelle du téléphone.

— Donnez-moi le docteur Martin, demande-t-il
à la poste.

Quelques secondes. On entend bourdonner à
l'autre bout du fil, puis un déclic.

Je saisis le second écouteur. Une voix bour-
rue que je reconnais aussitôt demande d'un ton
rogue :

— Qu'est-ce que c'est ?

— Ici Adam, fait mon hôte.

— Le premier homme ? demande le toubib.

— Le premier homme du canton, indiscutable-
ment, et peut-être du département, dit paisiblement
le merlan.

Il a un rire bref.

— Le coiffeur de la Grand-Rue, docteur. Mon
gosse n'est pas bien, pouvez-vous passer ?

— Tout de suite ?

— Le plus tôt possible...

Martin se met à fulminer, il dit que mettre des
enfants au monde lorsqu'on vit une époque comme
la nôtre est une suprême incorrection ; et que ceux
qui ont choisi d'être docteur en médecine devaient
avoir dans le cerveau une araignée grosse comme
un crabe. Pour conclure il annonce qu'il va rap-
pliquer. Effectivement, il radine un quart d'heure
plus tard, la cravate de travers et avec du jaune
d'œuf dans sa barbiche.

Adam l'introduit dans la salle à manger.

— Où est l'enfant ? demande Martin.

— Dans sa chambre.

— Alors menez-moi à son chevet, saperlipo-pette !

— A quoi bon, dit Adam, il dort, et puis les oreillons, vous savez ça n'est pas un cas déses-péré…

— Quelle est cette plaisanterie ?

Jusqu'ici je suis resté assis dans un angle de la pièce. Je me lève et m'approche du docteur.

— Et alors, doc ! je fais en retirant mes lunet-tes, toujours aussi grincheux, à ce que je vois, hé ?

Il fronce les sourcils et me regarde attentive-ment, puis un large rire s'épanouit sur son visage.

— San-Antonio ! Par exemple ! Vous ici, mon cher ami…

Je lui flanque une bourrade.

— Drôle de pastaga ! je lui dis. Ils ne vous ont pas trop molesté ?

— A peine… Quelques coups de pied aux fesses… Puis ils m'ont flanqué dehors sans explication.

— Hum, je craignais qu'ils vous fusillent, ils ont coupé des types en quatre pour moins que ça, non ?

— Pour sûr, mais j'ai cru comprendre que ma qualité d'ivrogne était un élément dominant dans leur décision clémente. Voyez-vous, ce sont des gens qui ont le culte de la grandeur, de la force… Leur idéal est en forme de statue équestre, alors ils se désintéressent de ce qu'ils méprisent…

— Pas mal raisonné…

Il me touche le bras.

— Vous avez un fameux culot de revenir dans le pays après tous les tours que vous leur avez joués…

— J'avais envie de revoir Gertrude, figurez-vous.

— Gertrude ?

— L'espionne pour le compte de laquelle je suis en France présentement.

Il a l'air effrayé.

— Vous voulez lui parler ?

— Lui parler… et autre chose. Et je compte encore sur vous pour m'aider, doc.

Il fait oui de la tête.

— Ça ne vous effraie pas ?

— Du tout ! Vous êtes la providence de mes vieux jours, commissaire. Grâce à vous, j'aurai été tiré de cette fameuse monotonie… Que puis-je faire pour vous être utile ?

— Demain, à la première heure, vous irez à la Kommandantur…

— Bon.

— Vous demanderez un entretien au major von Gleiss…

— Oh, oh !

— Toujours d'accord ?

— Toujours.

— Vous lui direz qu'à votre réveil vous avez trouvé un mot de moi, glissé sous votre porte. Vous expliquerez que, désireux de ne plus être mêlé à de sales histoires, vous lui apportez ce mot.

Je tire un morceau de papier et un crayon de ma poche.

— Je vais vous le rédiger.

J'écris :

Cher docteur, pardonnez-moi de vous avoir entraîné involontairement dans une vilaine aventure ; heureusement, cela ne s'est pas trop mal terminé. Je vous demande un dernier service ; si un messager se présentait chez vous de ma part, dites-lui que, grâce à Gertrude, nous savons que le matériel V 10 a été expédié suivant la formule 2. Merci encore.

— Voilà, fais-je en tendant le papier, c'est entendu, n'est-ce pas ?

— Vous pouvez y compter.

— Je ne bouge pas d'ici, vous me préviendrez de la suite des événements ; attention au téléphone ! Votre ligne doit être branchée sur la table d'écoute...

— Je serai prudent, promet-il.

Le coiffeur offre une rincette et Martin se casse, sa trousse sous le bras.

— Brave type, fais-je, lorsqu'il est sorti...

— Oui, dit Adam, un peu dans le cirage, par exemple... Il est misanthrope, c'est une espèce de vieux chnock.

« Vous voulez vous coucher ? »

— Si c'est un effet de votre bonté...

J'ai eu une journée chargée, vous en conviendrez. Et puis, la petite séance dans le hangar, avec Gretta, c'est un casse-patte de première...

Adam me conduit dans une gentille chambrette où on aimerait s'enfermer avec une bergère pour passer les vacances de Noël. C'est propre, avec de la cretonne, un lit en cuivre, un parquet bien encaustiqué. Je lui serre la pogne et, en moins de temps qu'il n'en faut à un homme des cavernes pour allumer sa bouffarde avec deux morceaux de bois, je suis dans les torchons, les mains derrière le bocal, le cœur léger comme la conscience d'un marchand de bagnoles.

Je m'éveille en sursaut, en proie à un cauchemar.

Dans mon rêve, y a un grand type sans yeux qui me court après, le long d'un immense fleuve. Pour lui échapper, je gravis à toute allure les échelons d'acier d'un plongeoir. Mais plus je les escalade, plus il y en a. Cela fait comme une échelle de pompiers en plein développement.

J'ouvre les yeux ; je me sens le corps trempé de sueur et ma petite sonnette d'alarme interne carillonne tant qu'elle peut.

D'un bond, je m'assieds dans mon lit, les tempes battantes. Tout est silencieux dans la turne. Et pourtant, je sais que c'est un bruit qui m'a réveillé. Mais quel bruit ?

Je me lève et vais entrouvrir la porte. Il n'y a pas d'autres sons de ce côté-ci que le double ronflement provenant de la chambre à coucher d'Adam et de sa bonne femme.

Je repousse la porte et m'habille en hâte. Je sais que je ne vais plus pouvoir refermer l'œil.

Il y a un petit réveil sur la table de chevet, son cadran lumineux dit trois heures.

La petite sonnette d'alarme continue à tinter en moi. Je connais son aigre signal, c'est un sixième sens qui déclenche le signal. Il est infaillible. Je sais, je sens qu'il se passe quelque chose…

Je vais à la croisée. Elle donne sur une ruelle. Je vois dans la ruelle des ombres qui s'agitent. Ces ombres appartiennent à des soldats allemands. Ils sont en train de cerner proprement le pâté de maisons.

Je suis cuit. Il avait raison, Stéphane, et Gretta avait raison, et le père Martin avait raison, c'était téméraire de revenir dans ce petit bled. La police secrète devait surveiller mes moindres allées et venues… Ce qui me contraste, dans tout ça, c'est que Adam et les siens vont la sentir passer !

Je quitte ma chambre à toute allure, traverse le couloir et ouvre sans frapper la porte des coiffeurs.

Mme Adam, qui était déjà pieutée lorsque je suis arrivé, est une grosse bonne femme brune. Adam dort du sommeil du juste aux côtés de son tas de viande.

Je le biche par un bras et je le secoue comme un bras de pompe. Il sursaute et ouvre les yeux.

— Levez-vous en vitesse, Adam, ça va barder avant qu'il soit longtemps.

— Hein ! Quoi !

— Les frizous m'ont repéré et l'immeuble est cerné. Vous n'avez qu'une chance de vous en tirer… Venez.

Sa gerce se réveille à cet instant et demande des explications d'une voix aussi cordiale que celle d'une marchande de poisson marseillaise à qui vous jurez que son colin n'est pas frais.

— Oh, pour l'amour du ciel, fermez ça ! dis-je sèchement. Ne bougez pas de votre pucier et laissez flotter les rubans. Vous ne m'avez pas vu, compris ?

« Venez, Adam ! »

En pyjama, les yeux bouffis, il me suit. Il ne demande plus d'explications, il a perdu de sa nonchalance et il est pâle comme un bol de crème fouettée.

Nous dévalons les escadrins et nous nous ruons dans la salle à manger.

— Décrochez-moi ce téléphone et demandez illico la Kommandantur. Dites au type qui vous répondra que cette nuit vous avez reçu la visite d'un homme qui venait de la part d'un de vos amis. Vous l'avez hébergé, mais il vous a paru louche et vous vous promettiez de prévenir la police demain matin à la première heure. Mais vous venez de vous apercevoir que la maison est cernée et vous craignez qu'il ne se défende.

« Demandez des instructions. »

Adam réagit.

— Non, non, balbutie-t-il, ça n'est pas correct, et puis cela ne servira à rien, ils penseront que j'ai agi seulement lorsque je me suis aperçu qu'il était trop tard...

— Faites ce que je vous dis, tout ira bien pour vous et les vôtres.

Il obtempère.

Ça marche d'autant mieux qu'il a les chocottes pour de bon et que cela est perceptible à sa voix.

Au moment où il demande ce qu'il doit faire, je sors mon feu de la jambe de mon pantalon et je vise le gras de la cuisse d'Adam. Je ne tiens pas à lui sectionner l'artère fémorale ! La détonation et le choc le font chanceler.

— Tiens ! Salaud ! je gueule...

Il lâche l'appareil et me regarde sans comprendre.

Alors je lui cligne de l'œil :

— Il vaut mieux huit jours d'hôpital qu'une concession à perpétuité, lui murmuré-je à l'oreille.

Je rengaine mon pétard et me trisse dans l'escalier. En pareille circonstance, il n'y a qu'une issue possible : les toits !

Après l'escalier du premier étage, je me lance dans celui du second. La mère Adam qui a entendu la détonation couine comme une lapine blessée. Ses nichons grand format pendent sous sa chemise de nuit comme deux petits sacs de farine.

— Fermez votre sacrée gueule ou je vous lâche

du plomb dans le lard, grosse vache ! je lui crache au passage.

Elle m'énerve, cette pouffasse ! En la traitant de la sorte, elle saura exprimer à mon endroit des sentiments peu cordiaux.

Elle ouvre une bouche démesurée sous l'effet de l'indignation. Vous pourriez y faire entrer une famille de réfugiés ! Je continue mon escalade. Des coups sourds retentissent à la porte d'en bas. Si je voulais essayer quelque chose, c'était le moment ou jamais, je vous le garantis.

Je me trouve devant la porte d'un grenier, il n'y a pas de clé sur la serrure, je prends un vache élan et je l'embugne. La porte gémit et s'ouvre. Entraîné par la ruée, je me retrouve les quatre fers en l'air, à l'autre bout du grenier. Un sursaut et je suis sur mes flûtes.

Il y a une tabatière comme dans tous les greniers. Je l'ouvre, m'agrippe au rebord et, grâce à un splendide rétablissement, je me hisse sur le toit. Maintenant, s'agit de repérer la géographie du coin. Le toit est en pente raide et je dois y ramper pour ne pas perdre l'équilibre. Devant moi, à une dizaine de mètres, se dresse dans l'ombre un faisceau de cheminées. Si je peux l'atteindre, ce sera un premier pas de fait vers le salut.

Une balle vient briser une tuile à deux centimètres de mon nez. Je me précipite et j'atteins les cheminées.

Ce qu'il y a de bien dans mon cas, c'est qu'on ne peut me tirer dessus d'en bas car le toit fait une avancée protectrice et, d'autre part, par la tabatière ne peut se glisser qu'un individu à la fois. Le type qui me canarde est engagé à mi-buste par l'ouverture. Je le couche en joue et, dès qu'il a craché le restant de son magasin, je lui place une fève en pleine poitrine. Ça le fait tousser drôlement, mais je suis tranquille, on lui ferait avaler une bonbonne de sirop des Vosges que ça ne le guérirait pas.

Grâce à ces cheminées qui font écran, je me dirige vers l'autre extrémité de l'immeuble. Parvenu là sans plus de difficultés, je fais une grimace épouvantable. La ruelle forme un fossé profond d'une douzaine de mètres et large de trois environ. Au-delà, et beaucoup plus bas, se trouve un autre toit. Je sens un frisson me cavaler le long de la tringle. De deux choses l'une : ou je me fais crever sur mon toit, ou j'essaye d'atteindre celui d'en face. J'opte pour la deuxième solution. C'est un drôle de numéro, les enfants ! Ce qui rend ce saut de trois mètres plus périlleux encore, c'est que le point de départ comme le point d'arrivée sont en pente. Si je ne réussis pas à atteindre l'autre rivage de tuiles et à m'y cramponner, c'est le plongeon dans le noir, sur les bouilles des sulfatés.

Drôle d'alternative.

Je me recueille l'espace de dix secondes et je me mets à cavaler vers le vide ; lorsque je m'estime parvenu à la hauteur du chéneau, je m'élance dans une formidable détente de tout mon être. Il n'y a pas un poil de mon corps qui n'ait pas participé à ce saut. Je l'allonge encore par des mouvements dans le vide. L'air me siffle dans les oreilles.

Je tombe sur le toit d'en face, à plat. Je n'ai pas le temps de me réjouir d'avoir mis assez de sauce, car je me sens glisser sur la pente. J'ai beau écarter les mains et griffer les tuiles, ces carnes défilent à toute allure sous moi. Et puis je m'arrête net car la pointe de mes targettes s'est piquée dans la rigole de zinc. Je me déplace alors en crabe, c'est-à-dire de profil, en continuant à prendre appui sur le chéneau. D'en bas, du toit d'en face que je viens de quitter, retentissent un concert d'exclamations et des coups de feu. Çà et là des faisceaux de lampe de poche zigzaguent, mais ils sont trop faibles pour permettre des recherches efficaces. Ces glands-là ont oublié de se munir d'un projecteur, car ils pensaient me cueillir au plume, sans trop de difficultés.

Je contourne la maison sur laquelle j'ai atterri. Me voilà sur le surplomb d'une seconde ruelle. Elle est vide, car elle n'est pas comprise dans le secteur du siège.

Je commence à me dire qu'il y a un peu d'espoir.

Je fais une lente volte-face afin de prendre mieux conscience de ma position. Elle n'est pas brillante. Je continue d'avancer, le dos au toit, et, soudain, j'entrevois le salut.

Pendant le jour, des ouvriers repavent la petite rue que je domine. J'aperçois, en inclinant la tête, un gros monticule de sable qu'un camion a déchargé. Je me place au-dessus de ce tas et je me laisse glisser. Si j'ai mal calculé mon coup je vais me casser superbement la margoulette.

Faut croire que j'ai l'œil car je plonge, les quilles en premier, comme une fléchette, dans le monticule. Je m'y ensevelis jusqu'à mi-corps.

Et dire que je ne voulais pas croire au marchand de sable, lorsque j'étais mouflet !

Je m'ébroue pour chasser les grains de sable de mes vêtements, puis quitte mes tatanes et, en chaussettes, je me calte, rasant les murs.

La maison du docteur Martin est toute proche. Mon sens de l'orientation infaillible m'y conduit tout droit. Je demeure un long moment à l'abri d'un mur afin d'observer la rue du docteur. Mais je comprends que mes craintes sont vaines, il n'y a personne, c'est-à-dire aucun observateur indiscret, devant le cabinet du praticien.

A moins qu'on n'ait posté quelqu'un dans sa turne, la route est libre. Je peux risquer le paquet. C'est mon occupation favorite.

En quatre enjambées, je traverse la rue et je me suspens à la sonnette du vieux poivrot.

On dirait qu'il m'attendait, car la lourde s'entrouvre presque immédiatement.

— Vous ! s'exclame-t-il.

— Oui. Vous n'étiez pas couché ?

— Non, je venais de recevoir un coup de fil ; un accouchement. Vous vous rendez compte ! Il y a de sacrées femelles qui fabriquent des gosses pendant que le monde est à feu et à sang.

Il me regarde.

— Mais que se passe-t-il ?

— La maison du coiffeur est cernée ; grâce à Dieu, et un peu aussi à ma souplesse, j'ai réussi à filer.

— Entrez vite.

Il boucle la lourde.

Nous allons dans la petite pièce du fond, là où les placards regorgent de vieux marc avec des plantes qui y macèrent.

— C'est incroyable ! s'exclame-t-il. J'espère qu'ils n'auront pas l'idée de vous rechercher ici. Restez-y pendant que je vais accoucher ma bonne femme.

Je secoue la tête.

— Non ? fait-il, vous ne voulez pas rester ?

— Erreur, donc, fais-je, je veux bien rester mais vous ne sortirez pas d'ici, la brave dame accouchera toute seule. Il n'y avait pas de sage-femme pour accoucher la mère Eve, elle s'est démerdée toute seule et pourtant nous sommes là, vous et moi.

— Vous avez un raisonnement assez spécial, dit Martin en souriant.

Il me fixe attentivement.

— Qu'avez-vous ? demande-t-il.

— J'ai que j'en ai marre, doc.

— De quoi ?

— C'est de qui qu'il faut dire. Marre de vous, monsieur Martin, et de vos saloperies.

— Vous êtes fou !

— Je suis la dernière personne à pouvoir

répondre à cette question. Mais fou ou raisonnable, je sais que vous êtes un fumelard de première classe, docteur. Vous êtes un sale petit vieux, pourri jusqu'au cerveau.

— Dites donc ! commissaire…

— Taisez-vous. L'autre soir, vous m'avez donné l'hospitalité parce que j'apportais un élément trouble dans votre infecte existence et que vous aimez le noir, comme les chauves-souris.

« Je me suis confié à vous. Vous m'avez aidé à découvrir le message et, pendant la nuit, alors que, confiant, je reposais sous votre toit, mis K.O. par la piqûre que vous m'aviez faite, vous êtes allé à la Kommandantur faire le compte rendu de votre histoire. Vous leur avez porté le papier, vous leur avez proposé de me livrer, mais eux ont voulu tendre un piège, pas à moi, j'étais désarmé, vous le leur aviez dit, mais aux types du réseau qui avaient capté cette information et qui, selon toute probabilité, ne manqueraient pas de tenter quelque chose. C'était une occasion de les démasquer.

« Le matériel secret a été détourné, doc, mais le train a continué son circuit initialement prévu.

« Ils ont laissé s'accomplir l'attentat parce qu'ils pensaient pouvoir intervenir. Mais je les ai eus avec mon coup de la locomotive, ça a fait plus de casse qu'ils ne le supposaient. Ils en ont déduit que j'avais des accointances avec la bande et c'est pourquoi ils m'ont interrogé par la suite.

« Vous, vous aviez pour mission de me récupérer. Vous l'avez fait et comme, même sans arme, j'ai prouvé que j'étais un gars dangereux, vous m'avez soûlé avant de me conduire ici où les vert-de-gris m'attendaient.

« Voilà pourquoi, alors qu'on a fusillé d'innocents otages, vous n'avez pas été inquiété.

« Je me refusais à le croire, malgré les vagues soupçons qui m'effleuraient et j'ai continué à jouer franc jeu avec vous. Tout à l'heure, en sortant de chez le pauvre coiffeur, vous avez mis les Allemands au courant de ce qui se passait. Et ils ont lancé l'assaut. Une fois encore, je leur ai échappé. »

— Pas pour longtemps, grince Martin.

— Il faut toujours dire peut-être, mon cher.

Je tire mon revolver. Je vois son visage se décomposer, prendre une vilaine couleur grise.

— Non, non, implore-t-il.

— Et vous jouez au grand philosophe, au papa bougon, docteur Martin : permettez-moi de vous dire que vous n'êtes qu'une bonne vieille merde !

Je le regarde, ma main tremble de fureur.

— Vous tenez à votre vieille peau, hein ?

Il baisse la tête.

— Si je vous donnais une occasion de la conserver, vous seriez fou de joie, hein ?

Il me regarde d'un air avide.

— Vous allez téléphoner aux Allemands, doc, vous leur direz que je leur ai échappé, que je suis venu chez vous, que je vous ai demandé de me prêter votre voiture et que j'ai filé avec. De la sorte, ils n'auront pas l'idée de me chercher en ville pendant un bon moment. Vu ?

Il fait signe que oui.

Au moment où il sonne le standard, je lui dis :

— Un mot de travers et je vous étends raide, docteur, vous devez mieux qu'un autre imaginer l'effet que produit une balle dans le ventre…

Il obtient la communication et demande à parler au major von Gleiss. On lui donne satisfaction lorsqu'il a décliné son identité. Ils doivent l'avoir en considération, les Frizous !

Il débite le petit boniment. Von Gleiss lâche des mots rudes et se lance dans un laïus impressionnant.

— Qu'a-t-il dit ? demandé-je au médecin une fois qu'il a reposé l'appareil sur sa fourche.

— Que je ne bouge pas d'ici et que je le prévienne immédiatement s'il y a du nouveau.

— Bon.

Je réfléchis.

— Depuis la destruction de leur repaire, où se sont-ils installés ?

— *Hôtel de Grenoble.*

— C'est là que vous êtes allé tout à l'heure ?

Il baisse la tête.

— Oui, souffle-t-il.

— Avez-vous aperçu une femme, dans l'entourage de von Gleiss ?

— Oui.

— Comment était-elle ?

Il me fait une parfaite description de Gertrude.

— Très bien.

Je pose les bouteilles alignées sur la table par terre et je m'empare de la nappe.

— Que… que faites-vous ? demande Martin.

— Vous voyez, j'entortille cette nappe au.. ur de mon revolver, de la sorte il ne fera presque pas de bruit.

« C'est un petit truc que nous connaissons dans l'armée du crime… De la sorte, on prendra la détonation pour celle d'un bouchon de champagne qui saute. Venant de chez vous, un tel bruit ne peut surprendre, pas vrai, doc… »

— Mais…, balbutie-t-il, mais je… vous…

Puis il crie :

— Non ! Non ! Pas ça…

Je braque l'énorme paquet d'étoffe dans sa direction et je presse la détente.

Il prend la dragée dans la poitrine. Il ouvre le bec et se met à haleter ; je lui mets un second pruneau dans la tête et il tombe enfin, le front percé au-dessus de l'œil gauche.

— Oh merde ! me dis-je en détournant la tête. Voilà qu'on est obligé de buter les vieux à c't' heure !

CHAPITRE VIII

Dans ce putain de métier qu'est le mien, on ne peut jamais s'arrêter. Toujours naissent les éléments nouveaux qui nous poussent en avant à grands coups de tatanes dans le pétrus.

Je prends ma respiration et je regarde autour de moi avec hébétude. Me voici à une voie de bifurcation. Quelle conduite adopter, maintenant ? Me planquer de mon mieux et attendre que ça se tasse un peu pour moi, ou bien attaquer ?

Je vous prie de croire qu'il doit y avoir un fameux pastis sur les routes ! Les Allemands se remuent et arrêtent même les chiens errants pour leur réclamer leurs papiers. Sincèrement, j'estime que, présentement, je n'ai pas plus de chance de m'en sortir que le type qui saute du troisième étage de la tour Eiffel avec un parapluie en guise de parachute.

Que faire ? C'est le moment de se frotter le cerveau à l'encaustique pour faire reluire les idées…

A tout hasard, j'ouvre la porte du cabinet

de Martin et j'y jette un de ces regards que les romanciers qualifient de circulaires.

Il y a une blouse blanche à un portemanteau. Je pose ma veste et je la passe. Elle me gêne un peu aux entournures, mais elle me va tout de même. Il y a aussi une calotte ronde d'infirmier, je m'en coiffe ; elle me va, Martin avait un gros bocal. Je m'empare d'un flacon de mercurochrome et, en trempant mon doigt dedans, je dessine une croix rouge sur la calotte et sur la manche gauche de la blouse. Puis je remets mes lunettes…

Je jette un coup d'œil dans la glace au-dessus du lavabo ; oui, je crois que ça peut aller, j'ai tout de l'infirmier.

Je m'empare d'une boîte en métal blanc sur laquelle est dessinée une croix bleue. Elle contient un nécessaire complet à pansement.

M'est avis qu'un infirmier en vadrouille ne doit surprendre personne avec tous les coups de ron-flonflon qui partent des quatre coins de la ville !

En tout cas, l'heure des hésitations est passée.

Je me cale la boîte sous le moignon et je quitte la cambuse du vieux donneur. En voilà un qui a bien cherché ce qui lui est arrivé. Il répétait sans cesse qu'il buvait pour se souvenir, moi je lui ai offert une tournée qui lui a fait tout oublier.

Les rues sont animées comme un dessin de Walt Disney. Mais le motif et les personnages ne varient pas : ce sont des Allemands qui se remuent. Ils galopent à droite et à gauche, en brandissant des lampes et des pétoires. Une fameuse fantasia, je vous jure !

Moi, je me mets à arpenter le milieu du trottoir d'un air préoccupé.

Un officier m'interpelle.

— Monsieur ! Papires !

Je frappe ma boîte et je secoue la tête.

— Pas papires sur moi, je viens de l'hôpital, on a téléphoné d'envoyer quelqu'un à l'*Hôtel de Grenoble*, il y a des blessés.

Il n'insiste pas.

Je continue mon petit bonhomme de chemin. Un panneau m'indique l'hôtel. Je m'y dirige de mon allure paisible. Il y a deux factionnaires armés de mitraillettes devant la lourde. Ils me barrent la route d'un air aussi peu accommodant que possible.

— Où allez-vous ? articule laborieusement l'un d'eux.

J'emploie le même argument que précédemment.

— On a téléphoné à l'hôpital que quelqu'un était blessé...

Le gars hésite.

— *Ausweis ?* demande-t-il.

Je hausse les épaules.

— *Nein*, pas eu le temps, on m'a dit : « Faire vite. »

Il me regarde, je biche mon air le plus sévère derrière mes carreaux.

— Ouvrez la boîte ! ordonne-t-il.

J'ouvre complaisamment ma boîte. Les petits ustensiles chirurgicaux semblent l'impressionner. Ça impressionne toujours un profane, que ce profane-là soit allemand, français, américain ou papou.

Le visage du factionnaire s'éclaire.

— Passez, dit-il.

J'entre dans l'hôtel. Il y a des officiers chleus dans le hall qui discutent avec véhémence.

Derrière la caisse de la réception, un brave type chauve comme une aubergine remue le contenu d'une tasse de café en faisant des efforts de titan pour se tenir éveillé.

Je m'approche de lui.

— Salut, je fais, il paraît qu'il y a quelqu'un de blessé chez les sulfatés ?

Il prend un air épouvanté.

— Chut ! supplie-t-il, pas si fort, la plupart d'entre eux parlent le français.

— Le français peut-être, je fais, mais sûrement pas l'argot. Allons, frisé, dites-moi où est la blessée.

— Quelle blessée ? fait-il, ahuri...

— Comment voulez-vous que je le sache, bougonné-je, on a dit qu'une jeune femme venait de se couper le poignet avec son verre à dents... Je connais pas vos pensionnaires, moi. Et je m'en porte pas plus mal...

A nouveau, il fait une tête de constipé.

— Gardez vos réflexions pour vous ! murmure-

t-il, ils sont à cran depuis deux jours, je n'ai pas
envie de finir la nuit contre un mur, moi…

Il fronce les sourcils.

— Avec eux, il n'y a qu'une femme, les secré-
taires couchent à l'annexe…

— Eh bien alors, mon poète chevelu, vous êtes
complètement décalcifié de la citrouille. C'est
sûrement d'elle qu'il est question.

Je me fais péremptoire.

— C'est pas le tout, elle est peut-être en train
de saigner, la donzelle, remarquez que ça en fera
toujours une de moins… Quelle chambre ?

— 28, dit-il précipitamment, deuxième étage.

Je touche le bord de ma calotte d'un doigt
négligent et je m'engage dans l'escalier. Jusqu'ici
ça s'est merveilleusement passé, seulement le plus
duraille, le fin du fin, le trapèze de haute école
reste à faire.

Il s'agit de décider Gertrude à m'ouvrir sa
porte ; puis il s'agit de la trouver seule…

Je grimpe les escaliers lentement. J'arrive au
second palier, il est désert. Je cherche la porte
28 ; elle se trouve au fond du couloir. Je m'arrête
devant et je prête l'oreille. Je ne perçois aucun
bruit ; si elle est là, Gertrude, elle est seule ou avec
un type qui pionce.

Je m'accroupis et examine la serrure. La clé
est dedans et le pêne est engagé dans la gâche.
Donc l'oiseau est au nid. Si au moins je parlais
allemand.

Tant pis, je dois continuer à foncer, toujours cet engrenage du diable qui vous pousse en avant...

Si une porte s'ouvrait et qu'un de ces messieurs m'aperçoive devant cette porte, dansant d'un pied sur l'autre, il se demanderait ce que je maquille.

Je frappe discrètement.

Rien ne répond.

Je remets la gomme dans le fortissimo. J'entends un soupir puis une voix de femme lance quelque chose en allemand sur le mode interrogateur.

— C'est le garçon, dis-je de ma voix la plus fluette. Monsieur l'officier me charge de vous dire que l'homme que vous recherchiez est arrêté et que si vous voulez le voir, vous devez descendre dans le petit salon de l'hôtel.

Gertrude pousse une exclamation. Je l'entends sauter du lit.

— Dites que j'arrive, lance-t-elle.

Je réponds :

— Parfaitement, mademoiselle.

Et je m'éloigne de la porte ostensiblement. Mais je radine vite sur la pointe des pieds en prenant bien soin de marcher sur la carpette.

J'extrais mon feu de mon support-chaussette où j'ai pris l'habitude de le planquer et je le tiens braqué en direction de la porte, en prenant soin de le dissimuler aux regards d'un éventuel arrivant avec la boîte à pansements.

Quelques secondes s'écoulent. Elle fait fissa, la môme. Du moment qu'elle croit assister à l'hallali, elle se manie la rondelle.

Elle ouvre la porte brusquement. Elle est vêtue d'une robe de chambre en satin vieux rose et un ruban de même couleur est noué autour de sa tête.

— Bonjour, dis-je gentiment.

Elle fronce le sourcil car elle se demande qui je suis. Je fais un geste imperceptible pour lui montrer le revolver. J'aime autant vous dire que ça lui fait de l'effet. En silence nous nous mettons en marche, moi en avant, elle en arrière. Lorsque nous sommes tous les deux dans la cambuse, je repousse la lourde avec le pied et, prestement, je mets la targette.

— Alors, Gertrude d'amour !

J'ôte mes lunettes et mon calot.

— San-Antonio…, balbutie-t-elle.

— Soi-même. Il est gonflé, le bonhomme, hein, ma mignonne ?

Elle n'en revient pas. De saisissement, elle se laisse choir sur le lit.

— Ne bouge pas, cocotte, fais-je, je n'ai pas mes yeux dans ma poche.

Je m'approche et soulève son traversin. Dessous, il y a un bath pistolet de fort calibre.

— Veine, dis-je en l'empochant, il y a long-temps que je rêvais d'en avoir un de ce calibre. Il est allemand ? C'est de la bonne camelote, faut reconnaître.

— Que me voulez-vous ? grince-t-elle.

— Je suis un type trop solitaire, Gertrude, j'ai besoin de compagnie.

Elle hausse les épaules.

— Evidemment, fait-elle, il faut que vous vous mettiez à jouer les dégourdis.

Elle récupère, la poupée…

— Pardonnez-moi, jolie dame, mais je vais vous emmener faire un tour.

— Vraiment ! ironise-t-elle.

— Vraiment ! renchéris-je.

— Comment ?

— A pied, pour commencer, après… nous aviserons.

Je m'assieds sur le lit à ses côtés. Je passe une main autour de son cou. Le contact la fait frissonner.

— S'il n'y avait pas cette saloperie de guerre, on pourrait signer un pacte d'assistance mutuelle tous les deux, non ?

Elle me tend la bouche.

— N'oubliez pas que je tiens un revolver appuyé contre votre hanche, lui dis-je avant de l'embrasser.

C'est dangereux de se mettre à embrasser une fille pareille sur un lit. On sait comment ça commence, mais on ne sait pas comment ça finit.

Rappelez-vous qu'il me faut une sacrée force de caractère pour lui faire le grand jeu sans lâcher mon pétard. Moi, j'aime bien jouer au sifflet dans la tirelire avec une louve. Ça donne de l'agrément à la chose.

Au bout d'une demi-heure nous nous retrouvons assis côte à côte comme précédemment.

— Merci pour votre… hospitalité, Gertrude, lui dis-je en lui cloquant un petit bécot dans l'oreille, vous êtes choucarde quand vous ne jouez plus à l'espionne. Maintenant, passons aux choses sérieuses. Il faut que je me tire les paluches de ce guêpier. Tous vos boy-scouts me trottent après. Evidemment, ils ne se doutent pas une fraction de seconde que je joue à Casanova en votre compagnie, sans quoi ils voudraient me refaire le coup de Waterloo. Seulement, je ne puis demeurer dans ce patelin plus longtemps. Vous allez m'aider à en sortir.

— Vous plaisantez ?

— Ai-je l'air de plaisanter ?

Je fais sauter le revolver dans ma main.

— Gertrude, je crois vous avoir administré en quarante-huit heures plusieurs preuves de mon savoir-faire. Vous voyez que je suis capable de réussir des exploits qui – soit dit sans me balancer des coups de savates dans les gencives – sortent un peu de la normale, non ?

— Pour ça…, murmure-t-elle.

— Voilà ce que j'ai décidé… Puisque j'ai pu pénétrer jusqu'à vous en qualité d'infirmier, je vais vous faire un pansement soigné. Vous vous habillerez et vous m'accompagnerez. Si quelqu'un nous arrête pour vous questionner, vous direz que vous vous êtes sectionné une veine en tombant avec votre verre à dents à la main. J'aurai mon revolver continuellement braqué dans votre dos. Si vous dites un mot de travers ou si vous essayez

quoi que ce soit, je vous dégringole, ma belle.
Ce serait ma suprême ressource et je le ferais de
grand cœur, n'ayant rien à perdre.

« A vous de décider. »

Elle hoche la tête.

— Et si je marche dans votre plan ?

— Vous n'aurez pas à le regretter.

— Hum, c'est vague.

— C'est tout ce que je peux vous promettre.
Décidez-vous, Gertrude, c'est ça ou une fève dans
le crâne illico…

Elle soupire.

— Bon… Allons-y.

*
* *

Il n'y a plus d'officiers dans le hall lorsque nous
descendons, décidément j'ai du vase.

Je lance un clin d'œil au gars chauve de la
caisse.

— Mademoiselle est plus blessée que nous le
supposions, je préfère l'emmener à l'hosto.

Il formule avec obséquiosité des vœux de gué-
rison.

Je hausse les épaules, ce qui le rend vert de
frousse et nous sortons. Les factionnaires recti-
fient la position en voyant paraître Gertrude, je
lui ai foutu le bras en écharpe de façon que, non
seulement elle ait l'air blessée, mais aussi qu'elle
ne puisse se servir de sa main droite.

C'est ce qui s'appelle joindre l'utile à l'agréable.

Nous sortons dans la nuit humide. Au loin, très loin, vers l'horizon, une barre mauve foncé annonce l'aurore.

Je me souviendrai de cette nuit…

Nous faisons quelques pas.

— Vous avez bien une bagnole à votre disposition ? fais-je.

— Evidemment, dit-elle, mais elle est au garage.

— Eh bien, allons la chercher…

Tout en marchant, je réfléchis. Faites confiance à la matière grise du mec, elle est riche en phosphore. Je me dis que les zigs du garage trouveront sans doute un peu fort de café que ce soit un pétezouille d'infirmier français qui pilote le bolide de la poulette.

C'est un petit détail qui risque de faire échouer mes plans.

Lorsque nous sommes parvenus devant la porte du garage, j'appuie sur la sonnette, et, en attendant qu'on vienne m'ouvrir, je colle à Gertrude le marron le plus meû-meû qu'elle ait jamais encaissé de sa vie.

Elle pousse un gentil gloussement du genre jeune pintade et s'écroule dans mes bras.

Un grand type tondu vient ouvrir la lourde. Il a le faciès d'un gorille qui serait issu du croisement d'un bouledogue avec une lampe à souder. Il me demande ce que je veux dans un français petit nègre.

Je lui désigne Gertrude.

— La *Fräulein* blessée… Hôpital, loin…
Voiture… Automobile. *Gut!*

Il examine Gertrude, la reconnaît et s'empresse.
En un temps record, il sort une Opel du garage et
se place au volant.

— Où *ist* hôpital ? demande-t-il.

Je m'installe derrière avec Gertrude toujours
dans le cirage.

— *Nach* Lyon, je fais.

Il les met à tout berzingue. Son os cogne le 100
comme une fleur. Pourvu que ce singe habillé ne
nous rentre pas dans un arbre. C'est ça qui serait
giron ! Il aurait bonne mine, le San-Antonio, de
finir incrusté dans un platane entre deux Allemands…

Mais le gars, s'il n'a vraisemblablement jamais
remporté de prix de beauté, a dû décrocher des
prix automobiles. Le volant, ça le connaît. Il
prend de ces vironds, le zig, qui sont d'un grand
champion.

En trente-cinq minutes, nous atteignons Lyon.
Le jour se lève.

Je donne à l'Allemand l'itinéraire à suivre pour
aller chez Stéphane.

— Stop ! je crie, lorsque nous parvenons devant
le bistrot de notre ami.

L'Allemand s'arrête et se retourne.

— Hôpital ? fait-il, surpris.

Je lui mets un coup de crosse au bas du crâne
qui fendrait en deux une boule d'escalier.

Cette sage précaution étant prise, je vais cogner

à coups de poing dans la porte du bistrot. La tête décoiffée de l'empereur romain ne tarde pas à s'encadrer dans l'une des fenêtres du premier étage.

— Qu'est-ce que c'est ? demande-t-il.

On ne voit pas ses mains, mais je vous parierais la barbe du Négus contre un sucre d'orge qu'il tient une mitraillette.

— Bons baisers ! je lui lance.

— A bientôt, fait-il machinalement.

Il descend ouvrir.

— Et alors quoi ! On ne reconnaît plus les aminches ? je lance joyeusement.

— San-Antonio ! Déjà vous ?

— Vous voyez…

— Rien de cassé ?

— Au contraire. Je ramène une nouvelle voiture, plus ma petite espionne pour faire le bon poids…

Un remue-ménage se fait entendre dans sa casbah.

— Qu'est-ce qui se passe, je demande, y a la foire chez vous ?

— Ce sont les amis de l'expédition de tout à l'heure, ils ont couché à la maison.

— Tout a bien marché ?

— Très bien.

Trois types que j'ai déjà vus en début de soirée, puisque j'ai fait un bout de chemin en leur compagnie, apparaissent.

— Tout va bien, les gars, prévient Stéphane, c'est le commissaire.

— Vous tombez bien, je leur fais, aidez-moi à décharger la bagnole, ensuite que l'un de vous aille la mener le plus loin possible de par ici…

Ils ne demandent qu'à s'employer, ces braves petits. En un clin d'œil, Gertrude et le grand tondu sont rentrés dans le bistrot et allongés sur deux banquettes.

— Voilà, dis-je après leur avoir résumé rapidement la situation, je n'ai pas du tout besoin du chauffeur, celui qui lui trouverait un bon vieux caveau de famille d'occasion me rendrait un fier service.

Stéphane désigne un petit rouquin au nez en trompette.

— Jules est tout désigné pour s'occuper de lui, dit-il.

Jules approuve d'un discret hochement de tête. Il s'approche de l'Allemand.

— Minute, fais-je, j'ai une petite démonstration à faire à madame auparavant.

Car je me suis aperçu que Gertrude revenait de sa croisière dans les pommes.

Je biche Stéphane à part.

— Gretta est ici ? lui demandé-je à l'oreille.

— Oui.

— Allez lui dire qu'elle ne se montre pas jusqu'à nouvel ordre. On peut se manifester bruyamment, ici, sans crainte d'être entendu de l'extérieur ?

— Bien sûr, vous avez remarqué que mon café est isolé.

— Votre copain Jules, c'est un dégourdi?

— Un terrible, il vous bousille son homme sans broncher, son reclassement après guerre posera un problème.

— Nous n'en sommes pas encore là…

Je fais signe à Jules de me rejoindre.

— Ecoute, petit gars, je lui dis, j'ai besoin de produire un, mettons un choc psychologique, sur la souris qui est là. Il faut absolument qu'elle me donne un renseignement important. Puisque tu dois liquider l'Allemand, j'aimerais que tu le fasses avec certains raffinements qui donneront à réfléchir à la donzelle, compris?

— Laissez-moi manœuvrer, patron.

Il va chercher une carafe d'eau et la vide sur le visage de l'Allemand.

Ce dernier toussote et se réveille. Jules l'assied sur la banquette. J'en fais autant de la môme Gertrude.

— Vous avez fait bon voyage, ma chérie? je lui demande.

Elle pince les lèvres et son regard flamboie.

— Voilà le programme des réjouissances, je fais. Un avion partira ce soir pour Londres. Vous serez peut-être à bord; si vous y êtes, vous serez en arrivant là-bas internée en forteresse jusqu'à la fin des hostilités.

« Pour être dans l'avion, il vous suffit de nous

dire comment le matériel de la bombe téléguidée est expédié et où il se trouve pour l'instant.

« Vous saisissez ! »

— Je saisis, mais je ne puis vous renseigner, dit-elle, j'ignore tout de cette affaire.

— Bon. En attendant que vous recouvriez la mémoire, notre ami Jules, ici présent, va vous montrer ce qu'il sait faire.

Je fais un signe à Jules. Il s'avance sur l'Allemand, un couteau à la main et, lui saisissant l'oreille gauche, la tranche d'un geste précis. Le sang coule de la blessure.

Nous sommes tous très pâles et la gonzesse est très pâle également.

— Je n'aime pas beaucoup ce genre d'opération, dis-je ; s'il ne tenait qu'à moi, cet homme recevrait une balle dans le crâne et tout serait dit : hélas, ça ne tient pas à moi, mais à vous.

« Etes-vous décidée à parler ? »

Elle ne répond rien.

— Continuez, Jules…

Avec le même sang-froid et, je pourrais dire la même délectation, Jules coupe l'autre oreille.

Je me rends compte alors d'une chose, c'est qu'alors que nous suons à grosses gouttes, Gertrude regarde le prisonnier avec une espèce de louche satisfaction. J'oubliais simplement que cette fille est une sadique. On peut découper le gorille en petits morceaux comme pour l'accommoder en macédoine, elle se régalera.

— Ça va comme ça, dis-je à Jules, va liquider

ce type et reviens ; madame ne réagit pas devant
la souffrance d'autrui, du moins dans le sens que
j'espérais, nous verrons si ces mutilations opérées
sur sa personne la laisseront insensible…

Jules quitte la salle en poussant le grand
Allemand complètement sidéré devant lui. Il
revient peu de temps après en essuyant son couteau avec un morceau de papier journal.

— Vous parlez ?

— Non, dit-elle, faites-moi ce que vous voudrez, heil Hitler !

— C'est ça, ma belle, il te refilera des étiquettes
neuves, ton Adolf !

« Bon, eh bien, Jules, reprends ton petit turf,
il paraît qu'on travaille dans le cartilage, ce
matin. »

La gonzesse pousse un cri aigu. Un flot rouge
coule sur son épaule. Jules tient sa jolie oreille
entre le pouce et l'index.

— Qu'est-ce que j'en fais ? demande-t-il.

— Donne à mademoiselle, il faut rendre à
César ce qui appartient à César, tu sais bien…

Il jette l'oreille sur les jupes de Gertrude. Elle
fixe le répugnant débris humain d'un air épouvanté.

— Réfléchissez, dis-je. Vous pourrez vous
coiffer de côté, une oreille ça n'est pas encore bien
grave…

Elle a des larmes plein les yeux et elle serre les
dents pour ne pas gémir.

— Vous parlez ?

— Allez vous faire foutre…, grince-t-elle.

— C'est une fille de bon conseil, sourit Stéphane. Si on lui mettait du sel sur sa plaie ? Il paraît que ça cicatrise.

Je commence à en avoir ma claque de cette boucherie. Ce sont des méthodes que je réprouve vachement, mais il y a des circonstances où l'enjeu justifie tout. Je me dis que ce sont peut-être des milliers de vies humaines, et des vies innocentes qui dépendent du silence de cette garce.

— Faites comme vous voudrez, dis-je.

Je vais au fond de la salle, là où se dresse le comptoir, j'attrape un flacon sur une étagère, c'est du rhum, je m'en verse un grand verre que j'avale.

Gertrude pousse un cri inouï. Elle est blême et ses lèvres sont exsangues.

Maintenant elle n'a plus d'oreille du tout.

Je m'emporte.

— Idiote ! Vous ne voyez donc pas que ce garçon est capable de vous charcuter jusqu'à demain ? Parlez, nom de Dieu.

— San-Antonio, balbutie-t-elle, je possède incomplètement le français, comment est-ce, ce mot que le général Cambronne…

Elle n'a pas le temps d'achever et glisse évanouie sur la banquette.

CHAPITRE IX

— Avez-vous un petit coin tout ce qu'il y a de peinard qui puisse servir de cachot ? demandé-je à Stéphane.

Il se gratte le tarin.

— Y a la cave ?

— Gigo ! Ça ira.

Je me tourne vers les copains :

— Surveillez la poulette, je reviens tout de suite…

Je fais signe à Stéphane de me suivre, et je lui demande de me conduire auprès de Gretta.

La poulette pousse des gloussements d'allégresse en m'apercevant. Elle se jette dans mes bras et me noue les siens autour du cou.

— San-Antonio chéri ! roucoule-t-elle.

Je lui claque une bonne main d'homme sur le croupion.

— Pas le temps de pousser la romance, lui dis-je, ça urge, cocotte. J'ai besoin de vous.

Je l'affranchis sur ce qui vient de se passer.

— Il faut absolument que nous sachions où se trouve actuellement le fameux matériel, mon âme, or, cette teigne ne veut rien savoir pour l'ouvrir. Notre dernière carte, c'est vous qui allez la jouer. En somme, les Frizous se méfiaient de vous, mais ils n'avaient aucun doute sérieux, sans quoi ils n'auraient pas manqué de vous passer au presse-purée. Nous allons vous arranger un peu de façon que vous ayez l'air d'avoir été malmenée. Nous vous bouclerons dans la cave où nous amènerons Gertrude. Vous lui expliquerez que vous étiez dans la voiture d'hier, que je vous ai kidnappée, que nous vous avons interrogée, mais que vous n'avez absolument rien dit. Si vous êtes adroite, vous devez pouvoir tirer un renseignement de cette houri ! Surtout, prêchez-lui le courage, gonflez-la de manière qu'elle vous prenne vraiment pour une grande patriote...

— D'accord, fait-elle.

— Vous vous sentez vraiment capable de jouer le jeu ?

— Vous verrez, répond-elle simplement.

— O.K., vous êtes un drôle de petit lot, mon cœur...

« Vous tenez à cette jupe ? »

— Pas plus que ça.

— Alors j'ai moins de scrupules, je fais, en déchirant le vêtement de bas en haut.

Je procède de même pour le corsage, j'arrache la combinaison et une bride du soutien-gorge. Je lui ébouriffe les cheveux de telle manière qu'Antonio lui-même ne s'y retrouverait plus pour la coiffer.

Ce qu'elle est excitante, ainsi attifée, avec un sein qui prend l'air et son minois en bataille.

Stéphane en tire une langue aussi longue que les pans d'un habit.

— Hein! je lui fais, ça flanquerait des idées à une statue équestre…

Il n'est sûrement pas d'un avis contraire.

— Excusez, dis-je, mais c'est nécessaire, pour la chose de la vraisemblance.

Je donne un petit coup sec sur l'arête de son nez; elle se recule en poussant un petit cri. Le sang coule de ses narines.

— Etendez-vous ça sur les joues, ça impressionne, lui conseillé-je. Vous n'êtes pas hémophile, au moins?

Et je fais une bise à la pointe du sein qui me montre du doigt.

Il fait un beau jour bien doré, bien bleu, avec des petits oiseaux qui la ramènent et des fleurs qui sont en plein accord avec le printemps.

La radio d'État annonce que deux chasseurs allemands ont abattu les trois quarts des effectifs de la R.A.F.

Nous en sommes à notre sixième bouteille de blanc.

Voilà deux bonnes heures que les souris sont

ensemble. J'espère que la petite gosse Gretta sera champion et que nous aurons enfin le fameux tuyau.

— On y va ? suggère Stéphane, lequel m'a l'air d'un beau frénétique.

— Minute ! je lui fais, faut laisser à la petite le temps de vendre sa salade.

On se boit encore un « pot » d'un blanquet fruité et on va chercher Gertrude.

— Continuez l'interrogatoire, ordonné-je à Jules.

Je m'éclipse sur la pointe des pieds afin de rejoindre Gretta.

— Alors ? je lui demande.

Elle a un sourire grand comme ça.

— J'ai le renseignement.

— Toi, alors, je murmure en lui caressant son nichon vadrouilleur, tu feras ton chemin si les petits cochons te mangent pas. Comment t'y es-tu prise ?

— Comme vous m'avez dit...

« Elle m'a alors assuré que, même si elle parlait, vous ne pourriez pas faire grand-chose car le chargement en question est expédié par péniche et toutes les écluses sont gardées militairement, le long du parcours. La péniche qui transporte le matériel est escortée par deux petites canonnières et elle a à son bord cinquante hommes armés. Un bombardement serait inefficace car c'est une péniche spéciale qui véhicule ça. En cas d'alerte on largue son chargement au fond du cours d'eau. »

Je fais la grimace.

— Ils ont tout prévu, ces salopards. Bon, j'aviserai.

Je la prends contre moi.

— Tu es une souris comme on n'en trouve plus que dans les concours, tu sais…

On passe un petit moment sur la paille humide.

Décidément nous sommes voués aux batifolages sur la dure, Gretta et moi. Si on remet ça après la guerre, je lui offrirai une séance dans un pageot capitonné.

Je retourne à la salle commune.

— Jules, dis-je, finissons-en.

— Gertrude Kurt, j'ai reçu des services secrets alliés l'ordre de vous exécuter. Je crois le moment venu d'accomplir ma mission…

Je lui file une dragée dans le bocal.

Elle a un soubresaut et elle pique du nez en avant.

— Voilà, fais-je, de la bonne besogne. Stéphane, si vous pouvez envoyer un message à Parkings, dites-lui que ma mission est remplie. Mais je ne rentre pas tout de suite, car je suis sur une autre affaire…

« Et cette autre affaire est certainement beaucoup plus importante que celle que je viens de régler. »

Je regarde mes compagnons.

— Le Rhône n'est pas navigable, n'est-ce pas ?

— Non, la Saône seulement.

— Mettez-vous tous en chasse, les amis, je veux qu'on repère dans les plus brefs délais un convoi composé d'une péniche escortée de deux canonnières légères.

— Facile, dit Stéphane, nous allons demander à nos correspondants riverains s'ils ont remarqué ce que vous dites.

— Pensez-vous que le dépistage se fasse rapidement ?

— Nous avons une réunion générale ce matin. Reposez-vous, à midi j'espère pouvoir vous donner le renseignement…

J'en écrase comme un Turc lorsque je me sens secoué par une poigne ferme. Mon premier réflexe est pour sauter sur mon pétard, mais je reconnais Stéphane.

— Alors, me dit-il, on joue à la Belle au bois dormant ?

— C'est un sport rudement reposant, je fais en bâillant comme une vieille paire de godasses.

Je le regarde, ses yeux brillent d'un vif éclat.

— Du nouveau ?

— Oui.

— Allez, je donne ma langue au chat, déballez la valise…

— Nous savons où est le fameux convoi, nous avons eu du mal à le repérer. Aucun riverain ne l'avait aperçu… et pour cause : il traversait Lyon.

— Ça alors…

— Il se dirige vers l'île Barbe. Il va très doucement.

— Qu'est-ce que c'est, l'île Barbe ?

— La première écluse…

Je le regarde.

— Et alors ?

— Si elle sautait, la péniche serait paralysée pendant un bout de temps et nous aurions la possibilité de nous remuer, vous ne pensez pas, commissaire ?

Ce qu'il dit n'est pas gland du tout.

— Elle est bien gardée, cette écluse ?

Il a un geste éloquent.

— Voilà le hic ! Il paraît, aux dires d'un de nos camarades qui demeure dans le secteur, que le nombre d'hommes gardant ce point stratégique est extrêmement important. La seule solution, c'est de le faire bombarder par l'aviation…

Je secoue la tranche :

— Ça leur ferait comprendre que nous sommes au courant et ils prendraient une fois de plus de nouvelles dispositions, nous n'allons pas jouer à cache-cache avec cette sacrée fusée pendant cent sept ans ! Non, je crois bien qu'il me vient une idée. Seulement, la partie est la plus téméraire de toutes celles que j'aurai jouées jusqu'ici. Elle nécessite en tout cas un plan d'action drôlement soi-soi.

« D'après les estimations de vos collaborateurs, il faut combien de temps pour atteindre l'écluse ? »

Il réfléchit :

— Il est près de sept heures, la navigation fluviale est interrompue... Elle y sera... demain matin vers les dix heures.

— Nous agirons donc à neuf heures. Pouvez-vous, d'ici là, me trouver un camion de fort tonnage, une demi-douzaine de compagnons déguisés en Allemands, et un faussaire habile capable de rédiger de faux ordres de mission en allemand ?

— On va s'y mettre illico. Le camion, je l'ai... Les uniformes ne sont pas difficiles à trouver.

— Il faut une tenue d'officier supérieur à un type parlant couramment l'allemand. C'est dur à dégauchir ça ?

— Barthélemy fera l'affaire.

— Il est gonflé pour les coups durs ?

— Lui ! s'exclame Stéphane, l'essayer c'est l'adopter ! Le plus difficile sera de lui trouver des fringues à sa taille, enfin, on va tâcher de se débrouiller. Il vous fera également les faux papiers, vous n'aurez qu'à lui indiquer les textes, il a un outillage complet : tampons, papiers à en-tête, cachets, etc.

— Très bien.

Stéphane va pour s'éloigner.

— Attendez...

— Oui ?

— Vous pouvez avoir du plastic ?

Il rigole.

— Demandez plutôt à un marchand de marrons s'il peut avoir des marrons !

— Je veux dire une quantité suffisante pour faire sauter l'écluse ?

— J'en ai assez pour faire sauter la Chancellerie de Berlin, soyez sans inquiétude.

Il se gratte le crâne.

— Ce qui me chiffonne, dans ce que vous m'avez demandé, ce sont les zouaves parlant allemand.

Depuis un instant, Gretta est entrée dans la pièce et se tient accoudée à la commode.

— Vous cherchez des camarades parlant allemand ? demande-t-elle, je puis vous en fournir, moi. Tous les gens de mon réseau, ou presque, parlent allemand.

Je sursaute.

— Mais c'est une idée ça, Gretta d'amour. Vous avez la possibilité de les contacter ?

— Par l'intermédiaire de mon correspondant, oui. Je lui dirai de se mettre en rapport avec vous ?

— Allez-y.

L'enfant se présente bien, mais j'ai dans l'idée que les heures qui vont suivre seront fraîches et joyeuses.

CHAPITRE X

Je ne sais plus quel endoffé a écrit quelque part que les bords de la Saône, dans les environs de Lyon, dépassent en beauté les plus baths coins de l'Ile-de-France. Il n'était pas plus crétin que ça, le mec en question, et y en avait autant dans sa pensarde que dans un tube de pâte dentifrice.

La Saône est verte, d'un beau vert profond et chatoyant. Le soleil y met des grandes traînées d'argent et un petit zéphire en caresse la surface. Vous vous rendez compte de ce que mon tempérament poétique est capable d'accoucher? Il sait manier la lyre, le bonhomme, non? Moi, Lamartine il ne m'épate pas, je lui rendrais des points si nous faisions un concours...

Je descends de ce tramway qui remonte la Saône et qu'on appelle à Lyon le train bleu. Je tiens à la main une valise bourrée d'explosifs.

Si jamais un des soldats qui occupent les abords de l'écluse me demande de l'ouvrir, ça va faire un drôle de foin!

L'écluse est là, sur la gauche, bien gardée, je vous prie de le croire. Je m'en approche, le plus possible, l'air innocent. Les Allemands froncent les sourcils en me voyant avancer. Il y a gros à parier que je vais me faire interpeller si Stéphane n'entre pas en jeu. Heureusement, le voilà. Il débouche à bicyclette et me frôle.

— Eh dis donc, tordu ! je lui lance, tu peux pas faire attention ?

Il freine et se retourne.

— De quoi ! qu'il fait, monsieur a des rognes ?

— Alors, on écrase les gens sans rien dire, maintenant.

— Où que t'as vu que je t'ai écrasé, hé, paumé ? Et même que je t'aurais écrasé, écoute voir : ça ferait un beau melon de moins dans les parages !

— De quoi ! je hurle en posant ma valise à terre.

Du coup, les verts-de-gris sont intéressés par l'algarade et se rapprochent.

Spectacle permanent. On va leur en fiche pour leur argent.

— Tu veux me causer de près ? dit Stéphane en descendant de vélo et en se rapprochant.

— Mal poli !

— Connard.

— Répète !

— Tu la veux, ma main sur ta sale gueule, dis, pour voir, tu la veux ?

Les Allemands se tordent de rire.

Moi, je m'avance vers le vélo de Stéphane et je balanstique un coup de pinceau dans les rayons.

— Regarde ce que j'en fais, de ton clou, fesse de rat !

Il pousse un rugissement d'indignation.

— Tu vas me le payer ! Un vélo quasiment neuf !

— Neuf ! Tu l'as trouvé aux ordures, là où ta mère t'a trouvé toi-même !

— Répète !

— T'es donc sourd, par-dessus le marché ?

Il se jette sur ma valise et l'empoigne, puis il fend la foule hilare des Allemands.

— Tu vas voir où qu'elle va nager ta valtouze, espèce de pourri !

Les soldats qui ont compris s'écartent pour le laisser passer. Moi je fais semblant de m'agripper après lui, mais il me décoche un coup de pied en vache et je me roule par terre en hurlant. Stéphane court jusqu'au bord de l'écluse et y balance ma valise, le plus près possible des lourdes portes immergées.

Il se retourne alors et éclate de rire.

— Ah salaud ! hurlé-je en me relevant. Je vais te casser la tête.

Il fait semblant de prendre la pétoche et se tire en courant. Je le poursuis. Du coup, les Allemands se frappent les cuisses. Ils n'ont jamais rien vu de plus cocasse et ils se promettent d'écrire ça à leur famille. C'est trop drôle. Il n'y a décidément qu'en France qu'on assiste à des trucs de ce genre.

Nous parcourons plus de deux cents mètres, nous débouchons sur le pont léger qui traverse la rivière et nous forçons l'allure. J'aperçois les soldats qui nous montrent du doigt en nous criant des encouragements.

Puis je n'aperçois plus rien, je n'entends plus rien car l'explosion a rendu mon ouïe insensible et a brouillé un instant ma vue. Une trombe d'eau jaillit du cours d'eau.

Stéphane se retourne.

— On les a eus ? crie-t-il.

— Et comment !

N'empêche que cela ne représente que la plus petite partie du programme. Nous avons encore du tapin en perspective.

A vive allure, nous achevons de traverser le pont. A l'autre extrémité il y a un lourd camion dont les plaques de police sont allemandes.

Gretta, qui a revêtu son uniforme de souris grise, est au volant. Personne à l'horizon. Stéphane et moi nous nous hissons à l'arrière du lourd véhicule. Cinq camarades de la jeune fille sont là, vêtus en soldats allemands ainsi que je leur ai prescrit hier au soir.

Je passe rapidement l'uniforme que j'avais lorsque je me suis présenté chez Stéphane pour la première fois.

— Il faut combien de temps pour retourner sur la rive que nous venons de quitter, par le prochain pont ? je demande.

— Vingt minutes environ, me répond Stéphane. Barthélemy nous attend à Vaise.

— Ce sera très bien, ne perdons pas de temps.

Barthélemy est vraiment un grand bonhomme. Ce petit être furtif, qui ressemble au naturel à un rat, s'est complètement évadé de sa personnalité. C'est un véritable officier teuton que nous chargeons à Vaise. Il est sec, hautain, sévère. Il a troqué ses lunettes contre des lorgnons qui lui donnent l'air d'un savant. Il a des gants gris et il fait claquer ses doigts en parlant pour ponctuer ses phrases.

Stéphane et moi n'en croyons pas nos yeux.

— C'est du grand art, lui dis-je.

Il me toise d'un œil glacé. Du coup j'éclate de rire.

— Vous avez les papiers ?

— Certainement, répond-il plus que sèchement.

— Bon, dis-je à Stéphane, maintenant descendez, vieux, nous allons faire comme la vieille garde : entrer dans la fournaise.

Il me serre la main.

— Je vous dis merde.

Tout à l'heure, en longeant la rivière, j'ai repéré le convoi qui forme notre objectif. Il se compose en effet d'une péniche automotrice d'assez faible tonnage, laquelle est précédée d'un bâtiment de guerre très léger qui tient de la vedette armée. Derrière, à deux cents mètres, une seconde canonnière suit la péniche. Ainsi encadrée, elle peut soutenir un combat naval.

Le cortège est encore fort loin de l'écluse que nous venons de faire sauter. Là-bas, à l'île Barbe, ce doit être l'affolement. Il va falloir un certain temps avant que les autorités soient informées de l'attentat et surtout avant qu'elles n'établissent un rapprochement entre lui et le train de bateaux… Mettons que nous avons une petite heure de flottement; je puis logiquement compter sur encore trente minutes. Je me tourne vers celui des copains de Gretta qui parle le meilleur français.

— Vous êtes prêts, tous?

— Absolument prêts, fait-il, soyez tranquille sur ce point, monsieur.

— Chacun a bien saisi ce qu'il doit faire?

— Oui.

Par endroits, le quai comporte des dérivations en pente douce conduisant à la berge. Nous dépassons le convoi et nous descendons au bord de l'eau.

Nos hommes descendent. Je me glisse parmi eux et nous nous alignons sur deux rangs au bord de la flotte. Barthélemy se met à faire les cent pas d'une démarche d'automate. Je crie au type qui est resté au volant:

— Manœuvrez le camion de manière qu'il soit orienté vers la dérivation, ce sera du temps de gagné…

Il obéit.

Cinq minutes s'écoulent, infiniment longues pour moi. J'ai les mains moites. Si je pouvais agir moi-même, je ne ressentirais pas cette nervosité, mais de n'être qu'un acteur de seconde zone au moment de risquer le paquet, cela me fait cailler le sang. Voilà ce que c'est que d'être réfractaire aux langues étrangères. Si j'avais appris l'allemand au lieu d'attraper des mouches au collège, et si l'ayant appris je m'étais perfectionné, je serais en mesure aujourd'hui de faire tout seulard mon petit numéro. Enfin, Barthélemy m'a l'air bien parti.

La première vedette arrive à notre hauteur.

Barthélemy porte un sifflet à ses lèvres et en tire un son aigu et prolongé qui ne manque pas d'attirer l'attention des passagers du bateau. Tout en sifflant, il décrit un grand geste.

Il se fait un remue-ménage à bord. Puis, comme notre ami continue ses gestes, la vedette se rapproche légèrement de la rive. Un officier demande à Barthélemy ce qui se passe (c'est du moins ce que je suppose) et Barthélemy se met à débiter un grand laïus en brandissant ses papiers truqués.

Il leur dit que l'écluse vient de sauter et que le haut commandement de la place a décidé que le matériel poursuivrait son chemin par fer, qu'en attendant nous devons le transporter à la Kommandantur…

Du coup, le barbu accoste. L'officier, un jeune type athlétique, descend et s'empare des papiers de Barthélemy. Il les examine attentivement, les lit, les relit, hoche la tête puis parlemente avec notre faux officier.

D'un coup d'œil, j'interroge mon voisin d'alignement et il me fait signe d'un autre battement de paupières que tout gaze aux pommes. J'en ai une bouffée de bonheur dans la poitrine !

En effet, le jeune commandant remonte à son bord et lance des instructions. La péniche qui suit accoste.

Barthélemy me jette un rapide regard. Il est anxieux. Et je vais vous dire pourquoi nous sommes anxieux, lui et moi, *c'est que nous ignorons tout du matériel transporté* ; par conséquent, nous ne savons pas si le volume dudit matériel n'est pas à ce point important que nous avons immédiatement l'air suspect en prétendant l'emporter dans un camion, vous comprenez ?

Maintenant que les papelards nous ont ouvert les lourdes de la réussite, cette inconnue peut tout mettre par terre.

Lorsque la péniche a accosté, la séance recommence avec son commandant, cette fois.

Enfin, il est d'accord. Il crie des ordres. Ce qu'ils peuvent gueuler dans cette armée allemande, c'est rien de le dire.

Barthélemy lui pose une question, je comprends qu'il s'agit d'une question, car l'officier secoue négativement la tête.

Il grimpe sur son rafiot. Nous demeurons provisoirement isolés sur la berge.

Barthélemy se tourne vers moi.

— Ça ne boume plus ? je lui demande.

— Si, au contraire…

— Pourquoi le commandant de la péniche a-t-il secoué la tête ?

— Je lui ai demandé s'il voulait que mes hommes aident au transbordement. Il paraît que non...

Nous patientons encore plusieurs minutes, je me sens fébrile à hurler. Pourquoi ont-ils repoussé la proposition de Barthélemy ? Ont-ils flairé du louche et ne sont-ils pas en train de communiquer par radio avec le haut commandement ?

Mais non, un petit cortège apparaît sur le pont de la péniche, surgissant par l'écoutille.

Ce cortège se compose de quatre hommes charriant un coffre plus long et moins large qu'un coffre-fort. Le commandant guide les porteurs jusqu'à notre camion. Ils hissent leur chargement sur le plateau du véhicule et s'en vont après nous avoir adressé quelques mots auxquels mes compagnons répondent par des exclamations joyeuses.

Après quoi, le commandant va à Barthélemy ; ils ont un bref colloque, Barthélemy lui remet ses fausses paperasses. Ils se saluent militairement et Barthélemy, toujours plus strict, plus prussien que jamais, aboie un ordre ; les copains polaks se précipitent dans le camion, lui-même se hisse sur le siège avant aux côtés du chauffeur. Je le rejoins ; à trois, nous sommes un peu serrés, mais ça n'a pas d'importance.

Le camion grimpe la butte accédant au quai. J'aperçois Gretta au volant d'une voiture conduite intérieure. Une grande Renault familiale qui a servi à amener la bande de Polskis à pied d'œuvre. Il a été convenu qu'elle suivrait le camion de loin avec la voiture, afin de nous secourir s'il survenait quelque chose au camion au cours d'une chasse possible. Cette dernière idée est d'elle, moi je ne voulais pas qu'elle participe au coup de main, mais on ne peut pas faire voir un fusil à une chienne de chasse sans qu'elle se mette à vous suivre.

Lorsque nous avons franchi une certaine distance, je frappe l'épaule de Barthélemy.

— Dites donc, vieux, on les a opérés vilain, les Frisés... Cette fois c'est du « jusqu'au trognon »; mais comment se fait-il que le matériel soit si réduit ? Je suis inquiet...

Il hausse les épaules.

— Vous avez tort, si les Allemands avaient flairé la moindre supercherie, ils nous auraient arrêtés, ils étaient en force...

— Mais sapristi, pourquoi mobiliser un train complet et trois bâtiments alors qu'un avion ou même une automobile auraient suffi à véhiculer ce coffre ?

— Oh ! vous savez, dit-il, ils ont le goût du kolossal chez eux...

Le voyage s'effectue sans encombre. Nous avons convenu avec Stéphane que nous mènerions le camion dans une petite propriété qu'il possède en pleine campagne, sur la route de Bourg-en-Bresse. C'est désert et nous pourrons le décharger et planquer la camelote en toute sécurité. Barthélemy

connaît l'endroit et guide le conducteur. Nous
mettons une petite demi-heure pour accomplir le
trajet. J'ai l'impression que nous avons une sérieuse
avance. Il ne s'agit pas d'une attaque mais d'un
enlèvement en douceur. Les autorités allemandes
n'apprendront peut-être ce qui s'est passé que d'ici
plusieurs heures. C'est dire que nous pourrons
cacher le coffre et le camion et nous disperser dans
le paysage.

— Ici, fait Barthélemy.

Le conducteur oblique dans un chemin de terre.
Le camion tangue dans les ornières. Nous roulons
de la sorte sur une distance de cinq cents mètres,
et nous atteignons le portail d'une petite construction blanchie à la chaux qui doit être une ancienne
ferme transformée.

Tout est clos, pas plus de Stéphane à l'horizon que de beurre dans la culotte d'un zouave.
Pourquoi n'est-il pas là ? Lui serait-il arrivé quelque chose ?

— Il a peut-être une panne, suggère Barthélemy.

— En tout cas, on va toujours décharger le
truc.

Je descends du camion et je le contourne.

C'est alors que je pousse un cri d'Indien coman-
che sur le sentier fleuri de la vertu : l'arrière du
camion est vide, pas un homme, pas le moindre
coffre, vide ! Vide comme le verre d'un ivrogne,
comme la bourse d'un pauvre homme, comme un
livre d'Henri Bordeaux…

Vide !

CHAPITRE XI

Barthélemy, qui m'a rejoint, est tout aussi stupéfait.

Nous scrutons la route, derrière nous, mais rien n'apparaît, ni Stéphane ni Gretta. Pour un mystère, c'en est un, et il vaut ceux de Paris.

— Nous avons été joués par votre douce amie et par ses compagnons, murmure Barthélemy.

Nous nous précipitons d'un commun accord à l'avant du véhicule. Le gars n'y est plus. Nous contournons la maison et nous l'apercevons qui galope, au loin. Ce mec, c'est de la poudre d'escampette. Je mesure son avance : inutile de me lancer à sa poursuite, celle-ci est trop grande pour que j'aie une chance de le rattraper.

— Ça alors ! fais-je.

Je suis drôlement blousé. Y a longtemps qu'on ne s'est pas offert ma tirelire dans d'aussi grandes largeurs.

Barthélemy pince les lèvres.

— Il ne nous reste plus qu'à essayer d'entrer

dans la maison pour y trouver des vêtements civils, décide-t-il.

C'est ce que nous faisons. Il y a bien une serrure à la porte, mais je vous ai déjà prouvé que ça n'était pas un obstacle pour moi.

La petite campagne de Stéphane, bien que tout ce qu'il y a de rustique, possède néanmoins un confort discret. Dans la chambre à coucher, nous trouvons des vêtements de chasse. Nous les troquons avec une infinie satisfaction contre nos uniformes vert-de-grisés.

— Je me demande, dis-je enfin à Barthélemy, au bout d'un silence long comme l'avenue des Champs-Elysées, je me demande quelle sorte de jeu joue Gretta. Elle nous a donné des preuves manifestes de sincérité. Alors ?

— C'est incompréhensible, avoue mon compagnon.

Il pince son nez de rat et ajoute :

— Ce que je me demande surtout, c'est ce qu'est devenu Stéphane. Il devait venir nous attendre ici, aurait-il été arrêté ?

Il n'a pas fini sa phrase qu'une sonnerie retentit.

Nous sursautons et nous nous regardons avec effarement.

— Qu'est-ce que c'est ? fait Barthélemy.

— On dirait une sonnerie téléphonique...

Nous cavalons dans toute la baraque et je repère l'appareil accroché contre le mur de la cuisine.

Comme j'avance la main pour m'en emparer, Barthélemy me dit :

— Est-ce bien prudent ?

Je hausse les épaules.

— La prudence et moi, vous savez…

Et je saisis l'écouteur.

Tout de suite, je reconnais la voix de Stéphane.

— Dieu soit loué ! s'exclame-t-il, vous êtes là !

— Et alors, vieux, que se passe-t-il ?

Il n'a pas le loisir de répondre. Je l'entends pousser une exclamation. Je perçois distinctement un choc, puis c'est le silence…

Barthélemy, qui avait pris le second écouteur, me considère d'un air lugubre.

Je gueule deux ou trois fois : Allô ! dans l'appareil. Brusquement la sonnerie de tonalité se met à grésiller.

— On a raccroché, fait mon camarade. Lui-même dépose son écouteur sur sa fourche.

— Ça tourne vraiment mal, on dirait…

— Que pensez-vous qu'il lui soit arrivé ?

— Oh ! murmure-t-il, le champ des suppositions n'est pas trop étendu : Stéphane s'est fait avoir…

— On pourrait se barrer ? je suggère.

— On le devrait, rectifie Barthélemy.

Sans ajouter un mot nous sortons de la campagne et regrimpons dans la cabine du camion.

— Où aller ? fais-je, si Stéphane est coincé, sa cambuse n'est plus un refuge…

— Allons chez moi, décide Barthélemy en se glissant derrière le volant.

Mon camarade pioge dans un petit appartement de célibataire, sur les quais du Rhône, près d'un pont.

Nous abandonnons le camion dans les faubourgs de la ville et nous nous tapons le tramway pour regagner sa base.

Une fois chez lui, je me laisse choir dans un fauteuil de cuir ravagé comme les pentes du Stromboli après une éruption.

— Vous n'avez pas par hasard un truc alcoolisé dans un placard ?

Il se la ramène avec un flacon de cognac.

J'en sirote deux ou trois godets, les châsses au plafond.

— Vous qui connaissez Stéphane mieux que moi, fais-je brusquement, vous allez me donner votre opinion sur toute cette histoire, j'ai besoin d'y voir un peu clair…

Il prend place dans un second fauteuil tout aussi minable que celui qui a l'honneur de soutenir mes fesses.

Il s'empare d'un pot à tabac, bourre une pipe et l'allume. Tout ça sans se presser, comme s'il allait nous bonnir une histoire de pêche.

— J'ai la nette impression, fait-il enfin, que nous avons tiré les marrons du feu. Votre petite amie Gretta m'a toujours paru un peu suspecte.

— Vous pensez qu'elle est véritablement nazie,

avec toutes les preuves d'attachement qu'elle m'a données ?

— Je ne pense pas qu'elle soit nazie, non... Qu'elle travaille contre l'Allemagne, la chose est dûment prouvée ; mais qu'elle œuvre pour les alliés, ceci est moins évident.

— Pourtant, commencé-je...

Il retire sa pipe de sa bouche, la bourre avec son pouce et m'interrompt d'un geste.

— Voyez-vous, commissaire, comme tous les hommes d'action, vous ne réfléchissez jamais en deçà des questions que vous avez à charge de résoudre... Et pourtant il y a à réfléchir. Le monde, présentement, paraît partagé en deux blocs. Pourtant, le bloc vainqueur, ou du moins celui dont la victoire se dessine, c'est-à-dire celui des alliés, se craquelle déjà. Les alliés ! Le mot contient les drames futurs. Une alliance est plus aisée à rompre qu'à sceller.

— Bon, admets-je, je vois à peu près ce que vous voulez me dire, Barthélemy... Alors la petite Gretta commencerait déjà, au sein de l'alliance, à faire bande à part ?

— Juste.

— Si je ne suis pas trop cuit du côté cervelet, les choses se sont passées de la façon suivante : les copains qui se trouvaient à l'arrière du camion avec le chargement ont balancé celui-ci sur la route lorsque nous avons été sortis de la ville, puis ont sauté à leur tour. Gretta a chargé le total dans le vieil os qu'elle pilotait et l'a conduit en lieu sûr ?

— Je suppose qu'en effet c'est à peu près ça…

Je me verse un petit doigt de cognac – dans le sens de la longueur !

— Mais Stéphane… Il devait nous attendre chez lui…

— En ce qui le concerne, fait Barthélemy, je crois avoir compris ce qui s'est passé. Notre ami, sous ses dehors de bon enfant, est en réalité un homme extrêmement prudent. Sans nous prévenir, il a dû suivre Gretta au lieu d'aller nous attendre directement à sa campagne, comme prévu.

— Il y a donc eu trois voitures à la queue leu leu ?

— Oui.

— Vous parlez d'une chouette procession ! Et dire que nous ne voulions pas attirer l'attention…

— Justement, Stéphane a, en agissant de la sorte, fait preuve simultanément de prudence et de témérité. Il a pu contrôler, je le pense, les faits et gestes de Gretta ; mais il a été victime de ce contrôle. Nous pouvons envisager deux hypothèses : ou bien les Polonais se sont aperçus de la surveillance dont ils étaient l'objet de la part de Stéphane et ils ont réussi à le neutraliser au moment où il essayait de nous prévenir téléphoniquement ; ou bien ce sont les Allemands qui l'ont appréhendé à temps ; et je pencherais pour cette deuxième solution.

— Ah oui ?

— Oui. Peut-on savoir pourquoi ?

— Primo, parce que Stéphane n'est pas homme à se laisser avoir par des gens qu'il surveille. Secundo, parce qu'il est normal de penser que notre coup de main a attiré l'attention d'un certain nombre de badauds. Ils ont vu s'éloigner le camion, d'abord, puis la voiture de Gretta, puis celle de Stéphane et, s'il y avait un dégourdi dans l'assistance, c'est très certainement le numéro de la dernière bagnole qu'il aura noté. Tout bonnement parce qu'il aura eu le temps de réaliser l'insolite des événements et surtout le temps de bien lire ce numéro…

Je fais claquer mes doigts.

— Dites donc, vieux, vous étiez un champion des *Nick Carter* avant de préparer votre licence…

Il sourit.

— Je suis un esprit pondéré, voilà tout.

Je me lève et fais le tour de la pièce en me triturant les doigts.

— Comment pouvons-nous savoir ce qu'il est advenu de notre pauvre Stéphane ?

— Si ce sont les Allemands qui l'ont coiffé, la chose n'est pas difficile…

— Vous avez des antennes à la Gestapo d'ici ?

— J'ai mieux que cela…

Il attire à lui l'appareil téléphonique et compose un numéro.

— Allô ! Pourrais-je parler à M. le major Wonitz, demande-t-il…

On doit lui dire de patienter un instant car il met la main sur l'émetteur et me regarde en souriant.

— Qui est ce major ?

— Un brave type d'origine alsacienne qui est un antinazi fervent. Il occupe un poste de dernière zone à la Gestapo, mais il m'approvisionne en paperasses, tampons, faux ordres et renseignements divers…

— Allô ! dit-il soudain, major Wonitz ?

Il jacte en allemand pendant un court instant. Puis il pose l'appareil et se tourne vers moi.

— Stéphane est aux mains de la Gestapo, fait-il. Ils l'ont eu dans la cabine d'un bureau de poste de Villeurbanne.

— Bon, fais-je, j'aime mieux cela…

Il sursaute.

— Vous, alors, vous avez de ces reparties inattendues…

— Mais oui, je préfère cette solution. De la sorte nous savons où il est, ce qui est tout de même un avantage. Et puis, je préfère le savoir dans les mains de gens qui ont quelque chose à lui faire dire, plutôt que dans celles de gens qui ont quelque chose à lui faire oublier… Vous saisissez ?

C'est à mon tour de marquer un point.

Il y a comme de l'admiration dans les yeux de Barthélemy.

— Qu'allons-nous faire ? demande-t-il.

— Essayer de le sortir de là…

Et comme il a un geste d'incrédulité, j'ajoute :

— Stéphane est le dernier lien qui nous rattache

à cette vacherie de fusée : il ne faut pas que ce lien soit tranché, Barthélemy...

Barthélemy approuve du chef.

— Vous avez raison, murmure-t-il...

Il vide sa pipe au-dessus d'une potiche fêlée et répète comme s'il essayait de se convaincre lui-même :

— Il ne faut pas...

CHAPITRE XII

Barthélemy s'absente une paire d'heures dans l'après-midi pour aller aux nouvelles.

Je mets ma solitude à profit pour en écraser un brin. Ecoutez un peu : j'ai pas plus de sympathie pour vous que pour la grand-mère de Richelieu, mais je vais vous cloquer un conseil tout de même. Lorsque vous vous trouvez devant un problème considéré de prime abord comme étant insoluble, au lieu de vous mettre la Spontex à l'air, allez roupiller et vous verrez qu'en ouvrant les stores vous vous sentirez neuf comme un chapeau de Mme Stève Passeur !

Pour ma dorure, c'est ce qui se produit. Lorsque Barthélemy radine, je comprends que ce petit coup de néant a purgé mon cérébro-spinal.

— Du neuf ? je lui demande…

— Des précisions, rectifie-t-il. Je sais dans quelle cellule est enfermé Stéphane. Or, comme, depuis belle lurette, je possède le plan détaillé de la Gestapette…

— Eh bien, mais c'est aux pommes, je dis en bâillant si fort que cela établit un courant d'air dans mon intestin grêle.

— Aux pommes, sourit Barthélemy, on peut dire que vous avez l'optimisme chevillé au corps…

— Pour ça, faites-moi confiance, ma mère m'en mettait deux cuillerées chaque matin dans mon cacao…

— Vous avez une idée de ce qu'est la Gestapo d'ici ?

— J'ai une idée générale de la Gestapo en tout cas…

— Oui, reprend Barthélemy, seulement à Lyon elle est plus terrible que partout ailleurs. Lyon ! Capitale de la résistance.

Je me renverse sur le divan, les paluches croisées derrière le bocal.

— A Lyon, comme partout, les hommes sont des hommes, quelles que soient leurs consignes.

Il me regarde d'un œil intéressé.

— Je ne sais pas si je me trompe, mais j'ai l'impression que vous avez un gentil petit programme en tête.

— Qui sait ! dis-je.

Je réfléchis un instant et Barthélemy respecte ma méditation comme vous respecteriez celle de Lamartine.

— Vous connaissez à fond le topo des locaux ?

— A fond !

— Il y a beaucoup de prisonniers dans votre cirque ?

— Une centaine, mais qui se renouvellent sans cesse, car ça n'est pas à proprement parler une prison, mais un lieu d'interrogatoire.

— Je suppose que ces interrogatoires sont – comment dirais-je ? – très poussés…

— Hélas !

— Il doit y avoir un déchet considérable.

— Mettez une moyenne quotidienne de douze morts et vous serez encore au-dessous de la vérité…

— Ces morts, on les évacue bien, non ? Ils ne les enterrent pas dans la cour de l'immeuble ?

— Evidemment.

— Qui se charge d'eux ?

— L'institut médico-légal. La fourgonnette vient tous les soirs chercher les malheureuses victimes de la journée.

— Et cette moisson s'effectue de quelle façon ?

— Deux types de la morgue chargent sur une civière les suppliciés et les embarquent dans leur annexe des services de voirie, si je puis dire… Une honte !

Je stoppe son indignation, nous ne sommes pas là pour épiloguer sur les errements de notre époque et l'inconscience de nos semblables… Les hommes d'action ne sont pas des historiens.

— Savez-vous si les corps sont entreposés dans une pièce réservée à cet usage, ou bien si, au contraire, ils demeurent dans leur cellule respective ?…

Barthélemy hausse les épaules.

— Je ne saurais vous répondre, mon bon…

Il vient s'asseoir sur te bord du divan.

— Quels sont vos projets ?

— Me substituer au service de la morgue. Il n'y a pas d'autres moyens de pénétrer à la Gestapo et surtout d'en ressortir librement.

— Hum, fait-il, la chose me paraît bien risquée.

— Sans rire ! fais-je gouailleur, vous croyez que je suis ici pour broder des napperons ?

L'Institut médico-légal, que l'on appelle aussi la morgue, entre macchabs, est un grand bâtiment cubique qui s'élève en face du grand hôpital de la région lyonnaise. De cette façon, il peut s'approvisionner directo à la source, l'institut ! Directement du producteur au consommateur. Il a sa dose de viande froide…

On sonne. Un long moment se passe, puis un bonhomme rigolo vient ouvrir. Il ressemble au partenaire de Laurel et Hardy. Il a un crâne aussi peu chevelu qu'une toile cirée, des yeux exorbités, et une paire de bacchantes qui feraient crever de jalousie un grognard de Napo.

— Ce qu'y a ? s'informe-t-il en nous regardant alternativement.

— On peut causer ? je lui fais.

— Ce qu'vous v'lez ? C'est pour reconnaître quelqu'un ?

— Y a de ça... C'est pas reconnaître, c'est connaître, plus simplement qu'on voudrait.

— Connaître qui ?

Je le regarde et je dis doucement :

— Vous, par exemple...

Il pousse un petit cri d'oiseau migrateur.

— Est-ce que v'f'tez de moi ? s'enquiert-il.

— Du tout, lui dis-je. Si vous me pratiquiez, vous sauriez qu'un bouquin de droit civil n'est pas plus sérieux que moi.

Mon ton lui en impose. Il s'efface pour me laisser entrer ainsi que Barthélemy.

— Voilà, je fais, il paraît que vous êtes un grand patriote : guerre de 14-18, vous avez autant de décorations que Goering. Vous ne demandez certainement qu'à servir votre pays. Tous les héros de la Grande Guerre sont comme ça.

— Vous êtes de la Résistance ? demande-t-il.

— Mieux que ça encore... Nous avons besoin de certains tuyaux.

Il hésite ; mais ma bouille franche et ouverte comme une lettre censurée lui inspire confiance. Lui, c'est juste le genre de pégreleux qui ferait des tours de prestidigitation s'il pensait que ça puisse le faire prendre au sérieux...

— Garde à vous, je murmure.

Machinalement il rectifie la position et ses moustaches se mettent à palpiter comme si elles allaient s'envoler.

— Nous avons besoin de vous, et nous savons que nous pouvons compter sur vous. En deux mots voici ce dont il retourne : ce soir, tout à l'heure, c'est mon camarade et moi qui allons prendre la place des zèbres qui vont à la Gestapo ramasser les pauvres types zigouillés dans la journée.

Il nous regarde sans comprendre et murmure :

— Non ?

— Si, reprends-je. Vous allez nous mettre en contact avec les gars chargés de la corvée, vu ?

— Oui...

— Peut-on se fier à eux ?

— Je ne sais pas...

— Ils sont ici ?

— Oui.

— Faites-les venir...

Il va à un appareil mural et dit quelques mots dans un cornet acoustique.

— Nous préférons, dans votre intérêt, que vous n'assistiez pas à la conversation, fais-je. Vous ne pourriez pas aller musarder quelque part, dans un coin où vous serez bien en vue ? Un alibi, dans ces cas-là, n'a jamais fait de mal à personne.

Il lui faut deux petites minutes pour bien réaliser le sens de mes paroles. Les pensées s'enlisent dans son caberlot comme dans de la glu.

— Oui, oui, balbutie-t-il brusquement.

Et il les met sans demander son reste.

Je me tourne vers Barthélemy :

— Vous êtes certain qu'on peut se fier à lui ?

— Il paraît, assure mon compagnon. Il a déjà rendu plusieurs services importants aux nôtres. En tout cas, c'est un homme discret...

Comme il achève ces mots, la porte s'ouvre pour laisser passer deux solides gaillards qui ont l'air aussi futé que deux bottes d'égoutier.

Ils nous considèrent d'un air interrogateur.

— Bonjour, messieurs, dis-je. Notre visite peut vous paraître insolite, mais nous avons un renseignement à vous demander.

Le plus simplement du monde, je leur expose ma petite idée. Lorsque j'ai fini de jacter, ils se biglent d'un air terrorisé.

— Ça alors…, dit l'un d'eux, vous n'avez pas peur des mouches. C'est un truc à nous faire fusiller tous.

— On camouflerait la chose en agression, promet Barthélemy.

Le plus grand des deux secoue la tête.

— Ecoutez, dit-il, si vous alliez tous les jours à la Gestapo pour y faire le petit boulot que nous y faisons, ça vous donnerait certainement à réfléchir… Moi, je tiens à ma peau et je resterai peinard…

— Moi aussi, décrète avec vigueur le second.

Je regarde Barthélemy longuement. Venez pas me dire que la télépathie n'existe pas, car alors je vous fais manger votre slip ! Sans que j'aie eu à lui dire un seul mot, il va pousser le verrou de la porte.

Comme moi, il a compris que dans ce temple du silence et de la mort, nous étions deux petits champions dans notre genre.

Je sors mon feu et le braque en direction des deux pieds nickelés.

— Ce qu'on n'obtient pas par la persuasion, on l'a quelquefois par la force, dis-je.

Les deux mecs se regardent et lèvent les mains.

— Pas la peine, je ricane, on ne joue pas aux marionnettes.

Je m'approche du plus grand et, avant qu'il ait eu le temps de réaliser ce qui lui arrive, je le foudroie d'un coup de crosse à la tempe.

Barthélemy a juste le temps de l'attraper dans ses bras pour lui éviter une chute douloureuse sur le carrelage.

— Tu vois, fais-je au second, nous sommes des types décidés ; les types décidés, c'est comme une inondation : ça ne s'arrête pas facilement.

« Tu vas parler... Juste parler, je ne suis pas exigeant. »

Il fait « oui » de la tête.

Ça devient un plaisir que de discuter avec certaines gens lorsqu'on les regarde avec un feu dans les pognes. Ils retrouvent leur vocabulaire, leur mémoire, leur entrain et, pour peu qu'on insiste, le couteau suisse que vous avez perdu l'an dernier en allant à la pêche.

Il m'explique comment s'opère son turbin, ce qu'il faut dire et tout et tout...

En cinq minutes, j'en sais aussi long sur son travail qu'un professeur d'astrologie sur la troisième constellation à gauche du bureau de tabac.

— O.K., tu vas poser ta blouse blanche, j'ai idée qu'elle doit m'aller à ravir.

Il obéit.

— Parfait. Maintenant, puisque tu as l'habitude de déloquer les macchabs, enlève aussi celle de ton petit pote, puisqu'il est dans la vapeur.

— Croyez-vous qu'elle vous ira ? demandé-je à Barthélemy.

— Elle est un peu grande, évalue-t-il, mais avec des épingles on trouve toujours le moyen de faire du sur mesure.

— Dans ce cas, je crois que nous sommes parés.

Je me gratte le sommet de la théière.

— Qu'est-ce qu'on va faire de vous deux ?…

Ma question fout une pétoche noire au grand duconneau. Il a tellement les chocottes qu'on entend claquer son clavier.

— Monsieur, monsieur, balbutie-t-il.

Sa peau possède une intéressante couleur verdâtre. C'est le ton maison de la cambuse.

J'avise une grille d'ascenseur. Je l'ouvre. Le monte-charge est très bas de plafond, par contre il est très long. On devine que les usagers principaux ont l'habitude de circuler à l'horizontale.

— Entre !

Il pénètre dans la cage. Je le suis et Barthélemy y traîne le pote groggy.

Une odeur fade, l'odeur facilement identifiable de la mort nous prend à la gorge. Du reste, tout sent la mort ici, les murs, les gens et les blouses blanches que nous avons enfilées.

J'appuie sur un bouton ; il n'y en a qu'un et il commande la descente au sous-sol.

On débouche dans la cité du froid. De grands couloirs carrelés de blanc… Des portes de métal, blanches aussi… Un vrai cauchemar, un cauchemar de mort…

Les lourdes sont bouclées à clé. Mais il y a un trousseau passé dans la ceinture d'une des blouses.

J'ouvre la première porte qui se présente ; elle donne dans une chambre froide. Des niches sont aménagées dans le mur ; elles sont fermées par un battant à bascule. Chacune contient un mort. Celles qui sont vides ne sont pas fermées. On peut tirer l'espèce de bassin allongé qui sert de cercueil provisoire et qui coulisse sur des petits rails.

— Voilà qui est parfait, déclaré-je.

Je glisse mon revolver dans ma poche et je balance un parpaing au grand cul d'ail. J'y mets tout mon cœur, toutes mes calories… Le choc me fait mal jusque dans l'épaule.

Il s'endort aussi gentiment que son collègue et nous les couchons l'un et l'autre dans un bassin du zinc.

— Surtout, ne refermez pas les battants, m'avertit Barthélemy. Cela leur serait fatal.

— Ayez pas peur, je lui réplique, tout ce que je leur souhaite, c'est un rhume…

Barthélemy s'ébroue.

— Faites-leur confiance, assure-t-il ; ils l'attra-peront !

CHAPITRE XIII

Nous arrêtons le sinistre fourgon que pilote Barthélemy face à la lourde porte de fer.

Mon camarade actionne le klaxon sur un rythme convenu ainsi que nous l'a indiqué le gros charognard de la morgue. Ça donne quelque chose dans le genre de « Tagada tsointsoin ». Un factionnaire reconnaissant la voiture et le signal vient ouvrir.

Je lui adresse un petit salut cordial de la main. Il y répond par un autre salut.

Tout a l'air de se passer sous le signe de la plus parfaite cordialité.

Nous pénétrons dans une vaste cour où sont rangées plusieurs files de voitures et nous stoppons à proximité d'une petite porte.

Tandis que nous sortons du fourgon la civière destinée au coltinage des pauvres zigouillés, un sous-off s'approche de nous.

C'est une sale tête carrée à l'air mauvais. Il est rouquin, bigleux, chafouin, hargneux. Il tient un énorme trousseau de clés à la main et nous considère avec suspicion.

— Ce n'est pas camarades ? fait-il.

— Non expliqué-je. Aujourd'hui, camarades, vacances...

Barthélemy intervient en allemand. Il s'exprime très posément et la salade qu'il brade au frizou semble convenir à celui-ci, car sa touche pour jeu de massacre s'éclaircit.

— *Mein Gott !* s'exclame-t-il.

Je ne crois pas me comporter en utopiste en affirmant qu'il sourit.

Il nous fait signe de le suivre et il s'engage dans les couloirs de la bâtisse.

— Qu'est que vous lui avez raconté ? je demande à voix basse à Barthélemy.

Il hausse les épaules.

— Je lui ai dit que les deux types de la morgue avaient fait une petite foire, hier, et qu'ils s'étaient tellement blindés qu'on avait dû les rentrer chez eux dans leur fourgon.

Bon, ça. Il est psychologue, Barthélemy ; il s'y entend pour trouver les détails qui donnent le petit fini de la vérité aux mensonges gros comme des éléphants.

Nous descendons un escalier et parcourons une certaine distance dans les couloirs blanchis à la chaux.

Des civils circulent et nous croisent avec indifférence. Le coin n'est pas sympathique du tout. C'est silencieux comme la mort, avec cette différence qu'on entend parfois, amplifiés par la résonance des couloirs, des cris épouvantables qui me font serrer les poings.

La tête carrée ouvre une porte sur laquelle est peint le chiffre 2. Nous pénétrons alors dans une pièce plus grande qu'une cellule normale. Ce devait être une chambre ordinaire qu'on a transformée en geôle. On a cimenté la fenêtre et blindé la porte. Une petite ampoule électrique nue éclaire crûment une paillasse sur laquelle repose le corps d'un jeune homme. Celui-ci a le visage révulsé par la souffrance et ses yeux éteints sont encore exorbités. Son corps est couvert d'ecchymoses. Je constate qu'on lui a arraché les ongles de la main droite.

Barthélemy et moi nous nous regardons.

On met toute notre rancœur dans cette seconde. Puis, impassible, nous chargeons le pauvre gars sur la civière.

Barthélemy dit quelque chose au sous-off. Je comprends qu'il lui demande combien de morts nous aurons à emballer ce soir, car l'autre lui répond :

— *Drei.*

Comme je sais compter jusqu'à dix en allemand, je comprends qu'il a voulu dire « trois ».

En coltinant le mort à la voiture, je chuchote à Barthélemy.

— Il en reste encore deux, n'est-ce pas ?

— C'est cela, oui.

— Donc, nous n'avons pas beaucoup de temps

pour manœuvrer. D'après le plan que vous avez en tête, nous sommes loin de la cellule de Stéphane ?

— Non, dit-il ; elle est au même étage.

— Vous êtes prêt à tout, hein ?

— Soyez sans crainte…

On dépose le cadavre dans le fourgon et on revient à l'intérieur des bâtiments, toujours flanqués de notre ange gardien.

Cette fois, il nous conduit à l'autre extrémité de l'étage. Barthélemy me fait un clin d'yeux. Ça veut dire que la cage de Stéphane n'est pas éloignée. En effet, je lis sur une porte le numéro 46 ; or je sais qu'il est dans la cellule 55.

Je regarde derrière moi : personne. Le couloir est désert : devant, il est obstrué par un mur de brique hâtivement construit pour séparer le quartier des prisonniers de la partie administrative de la prison.

Donc le danger ne peut surgir que d'un seul côté. C'est un avantage suffisant pour que nous risquions le paquet sans plus attendre.

L'Allemand ouvre la porte numéro 49. Il s'efface pour nous laisser passer et reste dans le couloir. Or, pour le besoin de la cause, il est nécessaire qu'il entre dans la cambuse.

Je m'approche du corps qui s'y trouve et que j'estime inutile de vous décrire.

— Démerdez-vous pour qu'il entre ! soufflé-je à Barthélemy.

Barthélemy enregistre à toute vitesse. Je n'ai pas terminé ma phrase qu'il pousse une exclamation et désigne un point du plancher que l'Allemand ne peut distinguer sans s'approcher.

Il entre en demandant ce qui se passe.

J'esquisse un pas en arrière et je lui abats à toute volée mon poing sur la nuque.

Il tombe en avant. Au lieu de le retenir, Barthélemy complète mon travail par un coup de pied dans le visage.

Je prends le trousseau de clés du gardien et je l'enferme dans la cellule en compagnie du mort.

Ceci fait, nous courons jusqu'à la porte 55 et nous l'ouvrons.

Celui qui n'a pas vu la tête de Stéphane lorsque nous apparaissons ne pourra jamais se faire une idée de ce que peut être le visage de la stupeur, de l'ébahissement, de l'écroulement.

Un mot, un seul lui vient aux lèvres ! Celui de Cambronne.

— Ne perdons pas de temps, fais-je. Bon Dieu, Stéphane, allongez-vous sur cette civière, à plat ventre de préférence, de façon qu'un dégourdi ne puisse pas voir votre figure. Et surtout ne bougez pas d'un poil. Rappelez-vous que vous êtes mort. Mort !

Il s'empresse de faire ce que je lui dis et nous le chargeons.

Je peux vous assurer que je passe un des instants les plus faramineux de ma vie. Circuler librement dans un établissement comme celui-ci, réputé pour sa dureté, en coltinant un ami, c'est une impression que je ne suis pas prêt d'oublier.

Arrivé à l'extrémité du couloir, je jette un coup d'œil en avant. Quelques soldats discutent à l'extrémité du couloir principal.

— Une seconde ! dis-je à Barthélemy, il me vient une idée.

Je laisse là mes brancards et je me dirige vers la première porte qui se présente. Je l'ouvre. A l'intérieur, il y a un homme entre deux âges, d'allure racée. Un intellectuel à n'en pas douter. Il a un œil crevé et une main écrasée.

Je pose un doigt sur mes lèvres.

— Silence, je fais, nous sommes des amis. Nous venons délivrer un homme dont la vie, pour l'instant, représente quelque chose d'inestimable. Mais ça n'est pas une raison pour laisser choir les copains. Voici les clés qui ouvrent les cellules et un revolver. Tâchez de vous débrouiller avec ça. Simplement, je vous demande de compter jusqu'à deux cents avant de tenter quoi que ce soit, vu ?

Il a un éclair d'allégresse dans l'œil qui lui reste et, de sa main valide, il presse le revolver contre son cœur.

— Dieu vous garde, murmure-t-il.

Dieu doit être dans notre clan parce qu'en effet il nous garde. Sans la moindre difficulté, nous portons Stéphane à la voiture. Nous grimpons sur la banquette avant et mettons la voile. Une fois le portail passé, sans le moindre dommage, je ne puis retenir un cri d'allégresse.

— On les a eus ! On les a eus !

— Et comment! renchérit Barthélemy. Que faisons-nous maintenant?

— Conduisez-nous dans une petite rue tranquille. On laissera la bagnole et on ira prendre le tramway séparément.

CHAPITRE XIV

Nous sommes tous trois attablés devant une bonne bouteille chez Barthélemy.

— Pas trop de bobo ? demandé-je à Stéphane.

— Non, dit-il, grâce à votre intervention rapide. Je n'ai essuyé, après mon arrestation, qu'un interrogatoire rapide. D'après ce que j'ai cru comprendre, à la Gestapo, ils attendaient une grosse légume car l'affaire est d'importance.

Puis il nous fait le récit de son aventure.

— Je me doutais de quelque chose, ce matin. Une impression... Au lieu d'aller vous attendre comme prévu à la campagne, je vous ai suivis, de loin. Ainsi je les ai vus balancer le coffre du camion en rase campagne. Gretta a ramassé tout le monde. Mon premier réflexe a été de vous prévenir, mais je me suis dit que nous vivions un instant déjà périlleux et qu'une bagarre avec les Polonais – ou soi-disant tels – aurait des effets catastrophiques. Gretta a fait demi-tour. Je l'ai suivie. Elle a roulé jusqu'à un petit pavillon dans les quartiers populeux de Villeurbanne.

— La garce ! grommela Barthélemy.

— J'ai couru au téléphone, poursuivit Stéphane. Et comme je commençais à vous parler, la porte de ma cabine s'est ouverte, deux types de la Gestapo m'ont cueilli proprement. Je suppose que le numéro de ma voiture a été noté par quelqu'un...

— Certainement, dis-je. Ce qu'il faut faire d'urgence, maintenant, c'est aller voir jusqu'à Villeurbanne. Si les Polaks ne sont pas arrêtés, ils doivent s'y terrer. Ils n'ont pas d'autre conduite à adopter après ce coup de force !

*\
*

Villeurbanne est un bled ouvrier qui continue Lyon. Y a une flopée d'usines, de terrains vagues, de quartiers sordides, et puis, y a aussi des gratte-ciel comme à Chicago. Le pavillon où se sont terrés les Polaks se trouve dans une petite ruelle à palissades de bois, à trottoirs de terre et à becs de gaz, situé immédiatement derrière les gigantesques constructions qui le font paraître tout petit, tout rabougri, tout sordide.

C'est une construction à un étage, à la façade lépreuse, dont les volets plus ou moins démantelés sont fermés.

— On va tenter l'assaut, dis-je brusquement.

Le hic, dans cette histoire, c'est que nous ignorons en fin de compte à qui nous avons affaire. Qui sont ces gars ? Pour le compte de qui travaillent-ils ?

— On va leur faire le coup de la tenaille, décidé-je. Stéphane, vous allez sonner carrément au pavillon. Vous jouerez les indignés et demanderez ce que signifie ce manège. Moi, je vais profiter de ce que vous accaparerez leur attention pour entrer en douce dans la carrée. Barthélemy restera ici. De cette façon, si les choses tournaient mal, nous aurions la possibilité de leur prouver qu'il nous reste des concours extérieurs. Compris ?

— Vous êtes un vrai général, approuve Stéphane.

— Et comment ! Napoléon c'était un boy-scout à côté de mégnace !

Je m'élance, attrape le faite de la palissade et à l'aide d'un rétablissement je le franchis.

Je me trouve alors dans des jardins chétifs au milieu desquels se dressent des petites cabanes à outils.

Je me dirige vers le pavillon des Polaks en me cachant le mieux possible. Il me faut trois minutes pour l'atteindre. L'auto de Gretta est dans la cour. On entend, provenant de la cambuse, un ronronnement de conversation.

Je fais le tour de la construction et je découvre une porte qui n'est pas la porte principale, mais une issue sur une buanderie. Elle n'est pas fermée à clé. J'entre. Ça renifle le moisi dans le secteur. Il y fait frais. Je frissonne : de quoi enrhumer un esquimau !

Une autre porte, fermée à clé, celle-là, fait communiquer la buanderie au reste du pavillon. J'attends le coup de sonnette de Stéphane avant de travailler la serrure. Celui-ci se produit presque aussitôt. Un silence de mort se fait alors dans le pavillon. On entendrait réfléchir un gardien de la paix… Puis il y a un bruit de pas. Les occupants de la masure se décident à aller ouvrir.

Vite, vite, je prends un couteau et un morceau de fil de fer et je taquine la serrure; c'est une timide qui se laisse facilement influencer. En moins de temps qu'il n'en faut à un facteur pour siffler un verre de rouge, je suis de l'autre côté de la lourde.

Je me trouve alors dans un couloir. Au bout de ce couloir il y a des pièces, une à droite, une à gauche. La porte de gauche est ouverte et c'est de là que vient le bruit des voix.

— San-Antonio n'est pas ici? s'informe celle de Stéphane.

— Non, dit Gretta, mais il ne va pas tarder; il y avait des forces de police sur la route de Bourg, il a préféré faire demi-tour… Il nous a dit de cacher le coffre en attendant qu'il ait pu le faire passer en Angleterre.

— Où est-il? insiste Stéphane.

— Il a dû aller transmettre un message à Londres.

— C'est en effet ce que je vais faire, dis-je en intervenant.

Tous sursautent! Gretta est très pâle. Je tiens mon feu à la main.

— Alors? je demande, on fait cavalier seul, à c't' heure, mes petits canards?

Les quatre hommes mettent la main à leurs poches.

— Bas les pattes ! Le premier qui joue au con est déguisé en écumoire, qu'on se le dise !

Si vous pouviez voir les bouilles qu'ils font, tous, vous prendriez vite des photos pour les exposer dans le hall d'annonces de *France-Soir*.

— Vous nous avez fabriqués, je continue, et, sans la perspicacité de Stéphane, nous serions chocolats.

Je me tourne vers l'empereur romain.

— Pourquoi doutiez-vous d'elle, au fait ?

— Eh bien, dit Stéphane en fronçant les sourcils, j'ai été profondément surpris par deux choses paradoxales. Gretta demeurait chez moi sous prétexte que son réseau était en pleine déconfiture, et voilà que nous avons besoin d'hommes parlant allemand pour notre coup de main et qu'elle nous les trouve…

— Bon Dieu ! m'exclamé-je, vous parlez d'or… Je n'avais pas pris garde à ce détail.

« Alors ? fais-je à Gretta, je crois que l'heure des grandes explications a sonné, non ? Quel jeu jouez-vous, fillette ? »

Elle regarde ses truands.

— Nous travaillons pour le compte d'un allié, dit-elle : l'U.R.S.S. : mes camarades et moi sommes des Polonais rouges ; nous voulions que la fameuse invention aille de préférence au gouvernement soviétique, voilà pourquoi j'ai usé contre vous de moyens un peu cavaliers…

Elle sourit.

— Mais nous avons tous comploté et risqué nos existences pour rien, San-Antonio! Les Allemands ont été plus forts, c'est vous, c'est nous, qui sommes leurs dupes.

Je la bigle attentivement. Elle m'a tout l'air de me montrer un patatraque de première, la gosseline.

Pourtant ses yeux sont paisibles. La déception se lit sur sa frimousse comme sur la gueule de ses potes.

— Regardez ce que contient le coffre, dit-elle.

Je m'approche de la boîte oblongue et j'en soulève le couvercle blindé qui vient d'être forcé.

Stéphane et moi ne pouvons réprimer un mouvement de recul : le coffre contient le cadavre d'un vieillard.

Je remise mon pétard et je pars d'un profond éclat de rire.

— Assez inattendue, la pochette surprise, hein, les petits? On cherche du matériel secret, des plans, je ne sais pas quoi de sensationnel, on monte l'opération la plus formidable dans l'histoire des services secrets, ensuite on se tire la bourre pour se faucher le crapaud et que trouvons-nous dans la tirelire? Un macchab! Un bath! C'est du soi-soi comme calembour. Nom de fichtre, je la raconterai aux enfants de mes petits-enfants, celle-là, au lieu du Chaperon rouge...

Stéphane et les autres ne partagent pas ma bonne humeur.

— Ben quoi, je leur dis, faites pas ces billes… Faut être beaux joueurs, il ne nous reste plus qu'à nous débarrasser du macchab.

« Vous avez examiné le cercueil, oui ? Il n'a pas de double fond ? »

— Non, dit Gretta. Et nous avons fouillé le mort. Youri, qui est médecin (elle désigne un de ses pingouins) a vérifié sa dépouille dans les moindres recoins, il ne contient rien ! Il a même poussé les recherches jusqu'à lui donner un coup de bistouri dans l'estomac. C'est un mort de bon aloi… Je me demande ce qu'il faisait à bord du convoi, et pour quelles raisons les Allemands nous l'ont remis…

— Stéphane, dis-je, allez chercher la voiture, vous la rangerez dans la cour et nous y chargerons le défunt. Je voudrais le faire photographier pour tâcher de savoir s'il s'agit d'un haut personnage ou quoi…

Je prends la môme Gretta par le menton.

— Tu n'étais qu'une petite rouée comme les autres, ma gosse, mais tu as sur les autres l'avantage d'être gentille. Or, les mômes gentilles jouissent d'un privilège : elles touchent le cœur de San-Antonio… Le cœur et tout, quoi ! Ça me ferait plaisir de te revoir après la guerre. Je t'offrirais un cornet de frites, car j'espère qu'à défaut de l'Alsace et des colonies, la pomme de terre frite nous sera rendue ! Allez, bons baisers… et à bientôt.

CHAPITRE XV

Barthélemy et Stéphane fument béatement. Nous sommes dans la petite propriété de la route de Bourg.

— Je ne comprends pas pourquoi vous trimbalez ce cadavre, dit Stéphane, voici vingt-quatre heures que nous l'avons et, je ne sais pas si vous avez de la cire dans le nez, mais… D'autant plus que, contrairement à ce que vous aviez annoncé aux Polonais, vous ne l'avez pas photographié…

— A quoi bon, dis-je, puisque je l'ai tout de suite reconnu.

— Hein ?

— C'est le professeur Hossaïnem.

— Connais pas…

Barthélemy ôte sa pipe de sa bouche.

— Le savant iranien qui, à Milan, s'est spécialisé dans les recherches aéronautiques ? J'ai lu des articles sur lui dans différentes revues scientifiques d'avant-guerre.

— C'est cela, dis-je. C'est Hossaïnem qui a

inventé la fusée sphérique dont les Allemands
font si grand cas. Cette fusée n'a pas été construite
parce qu'Hossaïnem est mort. Nous nous sommes
demandé pourquoi ce coffre de faible dimension
était transporté avec un tel déploiement de tra-
lala, de wagons, de bateaux, etc. Certes, il aurait
été plus simple de le trimbaler par air, seulement
un corps est une denrée périssable, si j'ose dire.
Dans un incendie, cela se carbonise. Tombant de
haut, cela se brise... C'eût été imprudent. Or, les
Allemands sont des gens prudents.

— Voulez-vous dire, s'exclame Stéphane, que
l'invention du savant est en la possession de son
cadavre ?

— C'est exactement l'expression qui convient,
mon petit père.

— Mais son corps a été exploré, disséqué...
Ses vêtements mis en pièces... J'en ai du reste
encore mal au cœur.

Je souris, heureux de pouvoir ménager mon
effet.

— Ce soir, je prends l'avion, et j'emporterai un
drôle de colibard, je vous le dis.

Tous deux me regardent attentivement.

— Quoi donc ? finit par questionner Stéphane.

— La tête du mort ! Je la prélèverai sur le cadavre, sale boulot en perspective, il y a même une loi
qui punit cette sorte de mutilation, mais je ne vais
pas m'embarrasser du corps entier alors que la tête
seule m'intéresse.

— Voulez-vous dire…, commence encore Stéphane.

— Que même mort, il a son invention dans la tête ? C'est exact. Hossaïnem, qui pourtant était un homme évolué, a mis au service de son œuvre une vieille coutume persane : il s'est fait raser le crâne à triple zéro, s'est fait tatouer sur la tête les formules de sa découverte et a attendu que ses cheveux repoussent. C'est la plus sensationnelle de toutes les cachettes, n'est-ce pas ? Heureusement que j'ai roulé ma bosse un peu partout et que je sais pas mal de choses…

— Formidable ! murmure Barthélemy.

Barthélemy ne songe plus à sa répugnance. Il va au cercueil remisé dans la pièce voisine et s'applique à écarter les cheveux du professeur.

— Exact, fait-il en revenant, il y a bien des tatouages sur ce crâne.

Il me regarde, perplexe.

— Par exemple, je ne comprends pas pourquoi les Allemands prenaient tant de risques en véhiculant ce cadavre, pourquoi ils mobilisaient tant d'hommes et de matériel alors qu'il leur aurait été si facile, soit de transcrire la formule, soit de la photographier ?

— Cette question m'a beaucoup tracassé, dis-je ; aussi j'ai passé la matinée à la résoudre… Pour cela, j'ai potassé de vieux journaux et des revues scientifiques à la bibliothèque municipale. Hossaïnem travaillait depuis vingt-cinq ans en Italie. Juste avant la guerre, il faisait des

recherches pour réaliser une fusée sphérique
téléguidée. Je me doute que le premier soin des
Allemands, au début de la guerre, a été de mettre
le grappin sur Hossaïnem. Seulement, ce dernier
ne devait pas vouloir mettre sa science au service
des nazis. Il a fait traîner les choses. Il livrait peu
à peu son invention, mais le point final, la clé de
voûte de l'édifice, il la détenait, et il est mort avec
son secret inviolé. Les Allemands ont repris ses
travaux en Belgique d'où ils préparent une terrible offensive aérienne avec des engins modernes.
L'Italie n'étant plus sûre, tout a été transporté
outre-Quiévrain. C'est le lieu idéal pour lancer
une fusée nouvelle sur l'Angleterre.

— D'accord, coupe Stéphane, mais le cadavre…
Pourquoi ce transport funèbre, comme l'a demandé
Barthélemy ?

Je ris :

— *Parce que, mes petits gars, les Allemands
ignorent la particularité du tatouage crânien.*

Mes compagnons sursautent :

— Vous plaisantez !

— Pas du tout. L'objection de Barthélemy est
valable, que dis-je, elle nous fournit la preuve de
ce que j'avance… Jamais les Allemands, connais-
sant cette histoire de tatouage, n'auraient promené
le cadavre… Ils se seraient en effet contentés de
le photographier… D'autant qu'ils sont fortiches
sur la question photo. Seulement ils l'ignoraient.
Parmi les anciens collaborateurs d'Hossaïnem,
il s'en est trouvé sans doute un, de la même

nationalité que lui, qui s'est souvenu de cette coutume persane. Mais le bougre est malin et compte s'enrichir. Il n'a pas fait part de ses soupçons aux sulfatés. Simplement, il a dû leur dire que s'ils lui apportaient le cadavre, il se ferait fort de découvrir le secret…

— En ce cas, objecte cet entêté de Barthélemy, pourquoi n'ont-ils pas plutôt emmené l'assistant vivant auprès du mort, plutôt que de véhiculer le mort auprès du vivant ? C'eût été plus facile, non ?

— Barthélemy, mon vieux, vous manquez de phosphates… Les Allemands savent mieux que quiconque que les temps sont périlleux. Réfléchissez : avec la pluie de bombes qui s'abat à chaque minute sur l'Europe, il était plus prudent de faire voyager un mort qu'un vivant. Le mort n'avait de valeur qu'en tant que matière, et le vivant qu'en temps qu'esprit. Le mort pouvait se placer dans un coffre blindé, pas le vivant…

Stéphane est trop sidéré pour pouvoir l'ouvrir.

— Voilà, dis-je, l'heure tourne, je vais bientôt pratiquer la petite ablation dont je viens de vous parler. Un coup de rhum serait le bienvenu.

Je rigole et j'ajoute :

— Si un jour vous inventez une arme secrète, utilisez de préférence à votre crâne un bloc correspondance, les feuillets sont plus facile à détacher.

FIN

Un guide de lecture inédit élaboré
par Raymond Milési

REMONTEZ LE FLEUVE AVEC
LE COMMISSAIRE SAN-ANTONIO

La première aventure du commissaire San-Antonio
est parue en 1949. Peu à peu, ce personnage au punch
et à la sincérité extraordinaires a pris dans le cœur des
lecteurs de tous âges une place si importante qu'on
peut parler à son sujet de véritable *phénomène*. Qu'il
s'agisse de son exceptionnel succès dans l'édition ou
de l'enthousiasme qu'il provoque, on est en droit de
le situer — et de loin — au premier rang des « héros
littéraires » de notre pays.

1. Bibliographie des aventures de San-Antonio

A) La série

Jusqu'en 2002, la série était disponible dans une collection appelée « *San-Antonio* », abrégée en « **S-A** »,
**avec une numérotation qui ne tenait pas compte
– pour une bonne partie – de l'ordre originel des
parutions**.

La collection garde le même nom mais, à partir de
2003, **sa numérotation va respecter l'ordre chronologique**.

Dès lors, la bibliographie ci-après se consulte de la façon suivante :

- En tête apparaît le numéro « chronologique », celui qui figure sur chaque roman réimprimé *à partir de 2003*.
- Après le titre vient, entre parenthèses, la date de première publication.
- Puis est indiquée la collection d'origine (Spécial Police de 1950 à 1972 et **S-A avec l'ancienne numérotation** : reprises et originaux de 1973 à 2002).
- O.C. signale que le titre a été réédité dans les Œuvres Complètes, le numéro du tome étant précisé en chiffres romains.

▬▬▬▬▬▬▬▬

1. **RÉGLEZ-LUI SON COMPTE** (1949)
   (S-A 107) – O.C. XXIV

2. **LAISSEZ TOMBER LA FILLE** (1950)
   Spécial-Police 11 – **(S-A 43)** – O.C. III

3. **LES SOURIS ONT LA PEAU TENDRE** (1951)
   Spécial-Police 19 – **(S-A 44)** – O.C. II

4. **MES HOMMAGES À LA DONZELLE** (1952)
   Spécial-Police 30 – **(S-A 45)** – O.C. X

5. **DU PLOMB DANS LES TRIPES** (1953)
   Spécial-Police 35 – **(S-A 47)** – O.C. XII

6. **DES DRAGÉES SANS BAPTÊME** (1953)
   Spécial-Police 38 – **(S-A 48)** – O.C. IV

7. **DES CLIENTES POUR LA MORGUE** (1953)
   Spécial-Police 40 – **(S-A 49)** – O.C. VI

8.   DESCENDEZ-LE À LA PROCHAINE (1953)
Spécial-Police 43 – **(S-A 50)** – O.C. VII

9.   PASSEZ-MOI LA JOCONDE (1954)
Spécial-Police 48 – **(S-A 2)** – O.C. I

10.   SÉRÉNADE POUR UNE SOURIS DÉFUNTE (1954)
Spécial-Police 52 – **(S-A 3)** – O.C. VIII

11.   RUE DES MACCHABÉES (1954)
Spécial-Police 57 – **(S-A 4)** – O.C. VIII

12.   BAS LES PATTES ! (1954)
Spécial-Police 59 – **(S-A 51)** – O.C. XI

13.   DEUIL EXPRESS (1954)
Spécial-Police 63 – **(S-A 53)** – O.C. IV

14.   J'AI BIEN L'HONNEUR DE VOUS BUTER (1955)
Spécial-Police 67 – **(S-A 54)** – O.C. VIII

15.   C'EST MORT ET ÇA NE SAIT PAS (1955)
Spécial-Police 71 – **(S-A 55)** – O.C. XIII

16.   MESSIEURS LES HOMMES (1955)
Spécial-Police 76 – **(S-A 56)** – O.C. II

17.   DU MOURON À SE FAIRE (1955)
Spécial-Police 81 – **(S-A 57)** – O.C. XV

18.   LE FIL À COUPER LE BEURRE (1955)
Spécial-Police 85 – **(S-A 58)** – O.C. XI

19.   FAIS GAFFE À TES OS (1956)
Spécial-Police 90 – **(S-A 59)** – O.C. III

20.   À TUE... ET À TOI (1956)
Spécial-Police 93 – **(S-A 61)** – O.C. VI

21.   ÇA TOURNE AU VINAIGRE (1956)
Spécial-Police 101 – **(S-A 62)** – O.C. IV

22.   LES DOIGTS DANS LE NEZ (1956)
Spécial-Police 108 – **(S-A 63)** – O.C. VII

→   À partir du 108ᵉ roman ci-dessous, la numérotation affichée auparavant sur les ouvrages de la collection *« San-Antonio »* correspond à l'ordre chronologique. Le numéro actuel et le précédent sont donc identiques. Mais, pour éviter toute équivoque, nous continuons tout de même à les mentionner l'un et l'autre jusqu'au bout.

167. **DE L'ANTIGEL DANS LE CALBUTE** (1996)
(S-A 167)

168. **LA QUEUE EN TROMPETTE** (1997)
(S-A 168)

169. **GRIMPE-LA EN DANSEUSE** (1997)
(S-A 169)

170. **NE SOLDEZ PAS GRAND-MÈRE, ELLE BROSSE
ENCORE** (1997)
(S-A 170)

171. **DU SABLE DANS LA VASELINE** (1998)
(S-A 171)

172. **CECI EST BIEN UNE PIPE** (1999)
(S-A 172)

173. **TREMPE TON PAIN DANS LA SOUPE** (1999)
(S-A 173)

174. **LÂCHE-LE, IL TIENDRA TOUT SEUL** (1999)
(S-A 174)
(ces deux derniers romans sont à lire à la suite car ils consti-
tuent une seule histoire répartie en deux tomes)

175. **CÉRÉALES KILLER** (2001) – parution posthume
(original non numéroté : v. ci-dessous)

B) Les Hors-Collection

Neuf romans, de format plus imposant que ceux de
la « série », sont parus depuis 1964. Tous les originaux
aux éditions FLEUVE NOIR, forts volumes cartonnés jusqu'en 1971, puis brochés. Ces ouvrages sont de vérita-
bles feux d'artifice allumés par la verve de leur auteur.
L'humour atteint souvent ici son paroxysme. Bérurier y

tient une place « énorme », au point d'en être parfois la vedette !

Remarque importante : outre ces neuf volumes, de nombreux autres « Hors-Collection » – originaux ou rééditions de *Frédéric Dard* – signés **San-Antonio** ont été publiés depuis 1979. Ces livres remarquables, souvent bouleversants *(Faut-il tuer les petits garçons qui ont les mains sur les hanches ?, La vieille qui marchait dans la mer, Le dragon de Cracovie…)* ne concernent pas notre policier de choc et de charme. Sont mentionnés dans les « Hors-Collection » ci-dessous uniquement les romans dans lesquels figure le *Commissaire San-Antonio* !

- **L'HISTOIRE DE FRANCE VUE PAR SAN-ANTONIO**, 1964 – réédité en 1997 sous le titre **HISTOIRE DE FRANCE**

- **LE STANDINGE SELON BÉRURIER**, 1965 – réédité en 1999 sous le titre **LE STANDINGE**

- **BÉRU ET CES DAMES**, 1967 – réédité en 2000

- **LES VACANCES DE BÉRURIER**, 1969 – réédité en 2001

- **BÉRU-BÉRU**, 1970 – réédité en 2002

- **LA SEXUALITÉ**, 1971 – réédité en 2003

- **LES CON**, 1973 – réédité en 2004

- **SI QUEUE-D'ÂNE M'ÉTAIT CONTÉ**, 1976 (aventure entièrement vécue et racontée par Bérurier) – réédité en 1998 sous le titre *QUEUE D'ÂNE*

- **NAPOLÉON POMMIER**, 2000

→ Paru en 2001 dans un format « moyen » non numéroté, **CÉRÉALES KILLER** est bien le 175e roman de la série *San-Antonio*. Réédité en poche en 2003.

2. Guide thématique de la série « San-Antonio »

Les aventures de San-Antonio sont d'une telle richesse que toute tentative pour les classifier ne prêterait – au mieux – qu'à sourire si l'on devait s'en tenir là. Une mise en schéma d'une telle œuvre n'a d'intérêt que comme jalon, à dépasser d'urgence pour aller voir « sur place ». Comment rendre compte d'une explosion permanente ? Ce petit guide thématique n'est donc qu'une « approche », partielle, réductrice, observation d'une constellation par le tout petit bout de la lorgnette. San-Antonio, on ne peut le connaître qu'en le lisant, tout entier, en allant se regarder soi-même dans le miroir que nous tend cet auteur de génie, le cœur et les yeux grands ouverts.

Dans les 175 romans numérotés parus au Fleuve Noir, on peut dénombrer, en simplifiant à l'extrême, 10 types de récits différents. Bien entendu, les sujets annexes abondent ! C'est pourquoi seul a été relevé ce qu'on peut estimer comme le thème « principal » de chaque livre.

Le procédé vaut ce qu'il vaut, n'oublions pas que « simplifier c'est fausser ». Mais il permet – en gros, en très gros ! – de savoir de quoi parlent les *San-Antonio,* sur le plan « polar ». J'insiste : gardons à l'esprit que là n'est pas le plus important. *Le plus important, c'est ce qui se passe entre le lecteur et l'auteur, et qu'on ne pourra jamais classer dans telle ou telle catégorie.*

Avertissement

Comme il serait beaucoup trop long de reprendre tous les titres, seuls leurs *numéros* sont indiqués sous chaque rubrique. ATTENTION : ce sont les numéros de la collection « *San-Antonio* » référencée **S-A** dans la bibliographie ! En effet, les ouvrages de cette collection sont et seront encore disponibles pendant longtemps.

Néanmoins, ces numéros sont chaque fois rangés dans l'ordre chronologique des parutions, du plus ancien roman au plus récent.

A. Aventures de Guerre, ou faisant suite à la Guerre.

Pendant le conflit 39-45, San-Antonio est l'as des *Services Secrets*. Résistance, sabotages, chasse aux espions avec actions d'éclat. On plonge ici dans la « guerre secrète ».

→ S-A **107** (reprise du tout premier roman de 1949) • S-A **43** • S-A **44** • S-A **47**

Dans les années d'après-guerre, le commissaire poursuit un temps son activité au parfum de contre-espionnage (espions à identifier, anciens collabos, règlements de comptes, criminels de guerre, trésors de guerre). Ce thème connaît certains prolongements, bien des années plus tard.

→ S-A **45** • S-A **50** • S-A **63** • S-A **68** • S-A **78**

B. Lutte acharnée contre anciens (ou néo-)nazis

La Guerre n'est plus du tout le « motif » de ces aventures, même si l'enquête oppose en général San-

Antonio à d'anciens nazis, avec un fréquent *mystère à élucider.* C'est pourquoi il était plus clair d'ouvrir une nouvelle rubrique. Les ennemis ont changé d'identité et refont surface, animés de noires intentions ; à moins qu'il s'agisse de néo-nazis, tout aussi malfaisants.

→ S-A **54** • S-A **58** • S-A **59** • S-A **38** • S-A **92** • S-A **93** • S-A **42** • S-A **123** • S-A **151**

C. San-Antonio opposé à de dangereux trafiquants

Le plus souvent en mission à l'étranger, San-Antonio risque sa vie pour venir à bout d'individus ou réseaux qui s'enrichissent dans le trafic de la drogue, des armes, des diamants... Les aventures démarrent pour une autre raison puis le trafic est découvert et San-Antonio se lance dans la bagarre.

→ S-A **3** • S-A **65** • S-A **67** • S-A **18** • S-A **14** • S-A **110** • S-A **159**

D. San-Antonio contre Sociétés Secrètes : un homme traqué !

De puissantes organisations ne reculent devant rien pour conquérir pouvoir et richesse : *Mafia* (affrontée par ailleurs de manière « secondaire ») ou *sociétés secrètes* asiatiques. Elles feront de notre héros un homme traqué, seul contre tous. Il ne s'en sortira qu'en déployant des trésors d'ingéniosité et de courage.

→ S-A **51** • S-A **138** • S-A **144** • S-A **160** • S-A **170** • S-A **171** • S-A **172** • S-A **173**

Certains réseaux internationaux visent moins le profit que le chaos universel. San-Antonio doit alors défier lors d'aventures échevelées des groupes *terroristes* qui cherchent à dominer le monde. Frissons garantis !

→ S-A **34** • S-A **85** • S-A **103** • S-A **108**

E. Aventures *personnelles* : épreuves physiques et morales

Meurtri dans sa chair et ses sentiments, San-Antonio doit *s'arracher à des pièges mortels.* Sa « personne » – sa famille, ses amis – est ici directement visée par des individus pervers et obstinés. Jeté aux enfers, il remonte la pente et nous partageons ses tourments. C'est sans doute la raison pour laquelle plusieurs de ces romans prennent rang de *chefs-d'œuvre.* Bien souvent, le lecteur en sort laminé par les émotions éprouvées, ayant tout vécu de l'intérieur !

→ S-A **61** • S-A **70** • S-A **86** • S-A **27** • S-A **97** • S-A **36** • S-A **111** • S-A **122** • S-A **131** • S-A **132** • S-A **139** • S-A **140** • S-A **174** • **175**

F. À la poursuite de voleurs ou de meurtriers

Pour autant, on peut rarement parler de polars « classiques ». Ce sont clairement des *enquêtes,* mais à la manière (forte) de San-Antonio !

• Enquêtes « centrées » sur le vol ou l'escroquerie

Les meurtres n'y manquent pas, mais l'affaire tourne toujours autour d'un vol (parfois chantage, ou fausse monnaie…). Peu à peu, l'étau se resserre autour des malfaiteurs, que San-Antonio, aux méthodes « risquées », finit par ramener dans ses filets grâce à son cerveau, ses poings et ses adjoints.

→ S-A **2** • S-A **62** • S-A **73** • S-A **80** • S-A **10** • S-A **25** • S-A **90** • S-A **113** • S-A **149**

• **Enquêtes « centrées » sur le meurtre**
À l'inverse, ces aventures ont le meurtre pour fil conducteur. San-Antonio doit démêler l'écheveau et mettre la main sur le coupable, en échappant bien des fois à la mort. Vol et chantage sont encore d'actualité, mais au second plan.

→ S-A **55** • S-A **8** • S-A **76** • S-A **9** • S-A **5** • S-A **81** • S-A **83** • S-A **84** • S-A **41** • S-A **22** • S-A **23** • S-A **28** • S-A **35** • S-A **94** • S-A **17** • S-A **26** • S-A **60** • S-A **100** • S-A **116** • S-A **127** • S-A **128** • S-A **129** • S-A **133** • S-A **135** • S-A **137** • S-A **143** • S-A **145** • S-A **152** • S-A **161** • S-A **163**

• (Variante) **Vols ou meurtres** *dans le cadre d'une même famille*
→ S-A **4** • S-A **7** • S-A **74** • S-A **46** • S-A **91** • S-A **114** • S-A **141** • S-A **148** • S-A **154** • S-A **165**

G. Affaires d'enlèvements
Double but à cette *poursuite impitoyable* : retrouver les ravisseurs et préserver les victimes !

→ S-A **56** (porté à l'écran sous le titre *Sale temps pour les mouches*) • S-A **16** • S-A **13** • S-A **19** • S-A **39** • S-A **52** • S-A **118** • S-A **125** • S-A **126** • S-A **136** • S-A **158**

H. Attentats ou complots contre hauts personnages

Chaque récit tourne autour d'un attentat – visant souvent la sécurité d'un état – que San-Antonio doit à tout prix empêcher, à moins qu'il n'ait pour mission de… l'organiser au service de la France !

→ • S-A **48** • S-A **77** • S-A **11** • S-A **21** • S-A **88** • S-A **96** • S-A **33** • S-A **95** • S-A **98** • S-A **102** • S-A **106** • S-A **109** • S-A **120** • S-A **124** • S-A **130**

I. Une aiguille dans une botte de foin !

À partir d'indices minuscules, San-Antonio doit *mettre la main sur un individu, une invention, un document* d'un intérêt capital. Chien de chasse infatigable, héroïque, il ira parfois au bout du monde pour dénicher sa proie.

→ S-A **49** • S-A **53** • S-A **57** • S-A **66** • S-A **71** • S-A **72** • S-A **40** • S-A **15** • S-A **12** • S-A **87** • S-A **24** • S-A **29** • S-A **31** • S-A **37** • S-A **89** • S-A **20** • S-A **30** • S-A **69** • S-A **75** • S-A **79** • S-A **82** • S-A **101** • S-A **104** • S-A **105** • S-A **112** • S-A **115** • S-A **117** • S-A **119** • S-A **121** • S-A **134** • S-A **142** • S-A **146** • S-A **147** • S-A **150** • S-A **153** • S-A **156** • S-A **157** • S-A **164** • S-A **166** • S-A **167**

J. Aventures aux thèmes entremêlés

Quelques récits n'ont pris place – en priorité du moins – dans aucune des rubriques précédentes. Pour ceux-là, le choix aurait été artificiel car aucun des motifs ne se détache du lot : ils s'ajoutent ou s'insèrent l'un dans l'autre. La caractéristique est donc ici *l'accumulation des thèmes.*

→ S-A **32** • S-A **99** • S-A **1** • S-A **6** • S-A **64** • S-A **155** • S-A **162** • S-A **168** • S-A **169**

SANS OUBLIER...

Voilà donc répartis en thèmes simplistes *tous* les ouvrages de la série. Mais les préférences de chacun sont multiples. Plus d'un lecteur choisira de s'embarquer dans un « San-Antonio » pour des raisons fort éloignées de la thématique du polar. Encore heureux ! On dépassera alors le point de vue du spécialiste, pour ranger de nombreux titres sous des bannières différentes. Avec un regard de plus en plus coloré par l'affection.

Note

Contrairement à ce qui précède, certains numéros vont apparaître ici à plusieurs reprises. C'est normal : on peut tout à la fois éclater de rire, pleurer, s'émerveiller, frissonner, s'émouvoir... dans un même *San-Antonio* !

• *Incursions soudaines dans le fantastique*

Au cours de certaines affaires, on bascule tout à coup dans une ambiance mystérieuse, avec irruption du « fantastique ». San-Antonio se heurte à des faits *étranges :* sorcellerie, paranormal, envoûtement…

→ S-A **28** • S-A **20** • S-A **129** • S-A **135** • S-A **139** • S-A **140** • S-A **152** • S-A **172** • S-A **174**

• *Inventions redoutables et matériaux extraordinaires*

Dans plusieurs romans, le recours à un attirail futuriste entraîne une irruption soudaine de la *science-fiction*. Il arrive même qu'il serve de motif au récit. Voici un échantillon de ces découvertes fabuleuses pour lesquelles on s'entretue :

Objectif fractal (un grain de beauté photographié par satellite !), réduction d'un homme à 25 cm, armée tenue en réserve par cryogénisation, échangeur de personnalité, modificateur de climats, neutraliseur de volonté, lunettes de télépathie, forteresse scientifique édifiée sous la Méditerranée, fragment d'une météorite transformant la matière en glace, appareil à ôter la mémoire, microprocesseur réactivant des cerveaux morts, et j'en passe… !

→ S-A **57** • S-A **12** • S-A **41** • S-A **23** • S-A **34** • S-A **35** • S-A **37** • S-A **89** • S-A **17** • S-A **20** • S-A **30** • S-A **64** • S-A **69** • S-A **75** • S-A **105** • S-A **123** • S-A **129** • S-A **146**

• *Savants fous et terrifiantes expériences humaines*
→ S-A **30** • S-A **52** • S-A **116** • S-A **127** • S-A **163**

• *Romans « charnière »*

Sont ainsi désignés les romans où apparaît pour la première fois un nouveau personnage, qui prend définitivement place aux côtés de San-Antonio.

S-A **43** : Félicie (sa mère), *en 1950.*

S-A **45** : Le Vieux (Achille), *en 1952.*

S-A **49** : Bérurier, *en 1953.*

S-A **53** : Pinaud, *en 1954.*

S-A **66** : Berthe (première apparition physique), *en 1957.*

S-A **37** : Marie-Marie, *en 1968.*

S-A **94** : Toinet (ou Antoine, le fils adoptif de San-Antonio), *en 1971.*

S-A **128** : Jérémie Blanc, *en 1986.*

S-A **168** : Salami, en *1997.*

S-A **173** : Antoinette (fille de San-Antonio et Marie-Marie), en *1999.*

Mathias, le technicien rouquin, est apparu peu à peu, sous d'autres noms.

• *Bérurier et Pinaud superstars !*

Le Gros, l'Inénarrable, Béru ! est sans conteste le plus brillant « second » du commissaire San-Antonio. Présent dans la majorité des romans, il y déploie souvent une activité débordante. Sans se hisser au même niveau, le doux et subtil Pinaud tient aussi une place de choix…

· *participation* importante *de Bérurier*

→ S-A **18** • S-A **10** • S-A **11** • S-A **14** • S-A **22** • S-A **88** • S-A **23** • S-A **24** • S-A **27** • S-A **28** • S-A **32** • S-A **34** • S-A **37** • S-A **89** • S-A **90** • S-A **93** • S-A **97** •

S-A **1** • S-A **20** • S-A **30** • S-A **33** • S-A **46** • S-A **52** •
S-A **75** • S-A **101** • S-A **104** • S-A **109** • S-A **116** • S-
A **126** • S-A **145** • S-A **163** • S-A **166**

N'oublions pas les « Hors-Collection », avec notamment *Queue d'âne* où Bérurier est seul présent de bout en bout !

· *participation* importante *de Bérurier* et *Pinaud*
→ S-A **12** • S-A **87** • S-A **25** • S-A **35** • S-A **96** • S-A **105** • S-A **111** • S-A **148** (fait exceptionnel : San-Antonio ne figure pas dans ce roman !) • S-A **156**

· ***Marie-Marie, de l'enfant espiègle à la femme mûre***
Dès son apparition, Marie-Marie a conquis les lecteurs. La fillette malicieuse, la « Musaraigne » éblouissante de *Viva Bertaga* qui devient femme au fil des romans est intervenue dans plusieurs aventures de San-Antonio.

· *Fillette espiègle et débrouillarde :*
→ S-A **37** • S-A **38** • S-A **39** • S-A **92** • S-A **99**

· *Adolescente indépendante et pleine de charme :*
→ S-A **60** • S-A **69** • S-A **85**

· *Belle jeune femme, intelligente et profonde :*
Il ne s'agit parfois que d'apparitions intermittentes.
→ S-A **103** • S-A **111** • S-A **119** • S-A **120** • S-A **131** (où Marie-Marie devient veuve !) • S-A **139** • S-A **140** • S-A **152**

· *Femme mûre, mère d'Antoinette (fille de San-Antonio) :*
→ S-A **173** • S-A **174** • **175**

• *Le rire*

Passé la première trentaine de romans (et encore !), le *rire* a sa place dans toutes les aventures de San-Antonio, si l'humour, lui, est *partout,* y compris au cœur de la colère, de l'amour et de la dérision. Mais plusieurs aventures atteignent au délire et nous transportent vraiment d'hilarité par endroits. Dans cette catégorie décapante, on conseillera vivement :

→ S-A **10** • S-A **14** • S-A **87** • S-A **88** • S-A **23** • S-A **25** • S-A **2** • S-A **35**

Y ajouter, là encore, tous les « Hors-Collection ». Qui n'a pas lu *Le Standinge, Béru-Béru* ou *Les vacances de Bérurier* n'a pas encore exploité son capital rire. Des romans souverains contre la morosité, qui devraient être remboursés par la Sécurité Sociale !

• *Grandes épopées planétaires*

San-Antonio – le plus souvent accompagné de Bérurier – nous entraîne aux quatre coins de la planète dans des aventures épiques et « colossales ». Humour, périls mortels, action, rebondissements.

→ S-A **10** • S-A **87** • S-A **88** • S-A **24** • S-A **37** • S-A **89**

• *Les « inoubliables »*

Je rangerais sous ce titre quelques romans-choc (dont certains ont déjà été cités plusieurs fois, notamment dans les épopées ci-dessus). On tient là des *chefs-d'œuvre,* où l'émotion du lecteur est à son comble. Bien sûr, c'est subjectif, mais quel autre critère adopter pour ce qui relève du coup de cœur ? Lisez-les : vous serez vite convaincus !

→ S-A **61** • S-A **70** • S-A **83** • S-A **10** • S-A **87** • S-A **88** • S-A **24** • S-A **25** • S-A **37** • S-A **111** • S-A **132** • S-A **140**

POUR FINIR...

Il ne me reste plus qu'à souhaiter à tous ceux qui découvrent les aventures de San-Antonio (comme je les envie !) des voyages colorés, passionnants, émouvants, trépidants, surprenants, pathétiques, burlesques, magiques, étranges, inattendus ; des séjours enfiévrés ; des rencontres mémorables ; des confidences où l'intime se mêle à l'épopée.

Quant aux autres, ils savent déjà tout ça, n'est-ce pas ?

Ce qui ne les empêche pas de revisiter à tout instant la série *San-Antonio,* monument de la littérature d'évasion, pour toujours inscrit à notre patrimoine.

Raymond Milési

Correspondance entre l'ancienne numérotation de la collection « San-Antonio » et la nouvelle numérotation chronologique *portée sur chaque roman réimprimé à partir de 2003.*

S-A	→	*chrono*		S-A	→	*chrono*
S-A 1	→	*80*		S-A 29	→	*64*
S-A 2	→	*9*		S-A 30	→	*85*
S-A 3	→	*10*		S-A 31	→	*65*
S-A 4	→	*11*		S-A 32	→	*66*
S-A 5	→	*38*		S-A 33	→	*86*
S-A 6	→	*81*		S-A 34	→	*67*
S-A 7	→	*31*		S-A 35	→	*68*
S-A 8	→	*32*		S-A 36	→	*87*
S-A 9	→	*37*		S-A 37	→	*69*
S-A 10	→	*48*		S-A 38	→	*70*
S-A 11	→	*49*		S-A 39	→	*71*
S-A 12	→	*50*		S-A 40	→	*30*
S-A 13	→	*51*		S-A 41	→	*55*
S-A 14	→	*53*		S-A 42	→	*88*
S-A 15	→	*39*		S-A 43	→	*2*
S-A 16	→	*40*		S-A 44	→	*3*
S-A 17	→	*82*		S-A 45	→	*4*
S-A 18	→	*47*		S-A 46	→	*89*
S-A 19	→	*52*		S-A 47	→	*5*
S-A 20	→	*83*		S-A 48	→	*6*
S-A 21	→	*54*		S-A 49	→	*7*
S-A 22	→	*56*		S-A 50	→	*8*
S-A 23	→	*59*		S-A 51	→	*12*
S-A 24	→	*60*		S-A 52	→	*90*
S-A 25	→	*61*		S-A 53	→	*13*
S-A 26	→	*84*		S-A 54	→	*14*
S-A 27	→	*62*		S-A 55	→	*15*
S-A 28	→	*63*		S-A 56	→	*16*

S-A 57	→	17	S-A 83	→	44
S-A 58	→	18	S-A 84	→	45
S-A 59	→	19	S-A 85	→	97
S-A 60	→	91	S-A 86	→	46
S-A 61	→	20	S-A 87	→	57
S-A 62	→	21	S-A 88	→	58
S-A 63	→	22	S-A 89	→	72
S-A 64	→	92	S-A 90	→	73
S-A 65	→	23	S-A 91	→	98
S-A 66	→	24	S-A 92	→	74
S-A 67	→	25	S-A 93	→	75
S-A 68	→	26	S-A 94	→	76
S-A 69	→	93	S-A 95	→	99
S-A 70	→	27	S-A 96	→	77
S-A 71	→	28	S-A 97	→	78
S-A 72	→	29	S-A 98	→	100
S-A 73	→	33	S-A 99	→	79
S-A 74	→	34	S-A 100	→	101
S-A 75	→	94	S-A 101	→	102
S-A 76	→	35	S-A 102	→	103
S-A 77	→	36	S-A 103	→	104
S-A 78	→	41	S-A 104	→	105
S-A 79	→	95	S-A 105	→	106
S-A 80	→	42	S-A 106	→	107
S-A 81	→	43	S-A 107	→	1
S-A 82	→	96			

À partir du n° **108**, les numéros de la collection « **S-A** » coïncident exactement avec les numéros *chronologiques*.

R. Milési

Achevé d'imprimer sur les presses de

BUSSIÈRE

GROUPE CPI

à Saint-Amand-Montrond (Cher)
en mars 2008

FLEUVE NOIR
12, avenue d'Italie
75627 Paris Cedex 13

— N° d'imp. : 80540. —
Dépôt légal : avril 2008.

Imprimé en France